ASTRID
La reine bien-aimée

Catalogage avant publication de Bibliothèque et Archives nationales du Québec et Bibliothèque et Archives Canada

Dupuy, Marie-Bernadette, 1952-

Astrid : la reine bien-aimée

ISBN 978-2-89431-619-1

I. Titre.

PQ2664.U693A87 2017   843'.914   C2017-940956-5

Les éditions JCL bénéficient du soutien financier de la SODEC
et du Programme de crédit d'impôt du gouvernement du Québec.

Nous remercions le Conseil des Arts du Canada
de l'aide accordée à notre programme de publication.

Financé par le gouvernement du Canada  | Canada

Édition
LES ÉDITIONS JCL
jcl.qc.ca

Distribution au Canada et aux États-Unis
Messageries ADP
messageries-adp.com

Distribution en France et autres pays européens
DNM
librairieduquebec.fr

Distribution en Suisse
SERVIDIS/TRANSAT
asdel.ch

 Suivez Les éditions JCL sur Facebook.

Imprimé au Canada

Dépôt légal : 2017
Bibliothèque et Archives nationales du Québec
Bibliothèque nationale du Canada
Bibliothèque nationale de France

MARIE-BERNADETTE DUPUY

ASTRID
La reine bien-aimée

LES ÉDITIONS JCL

À ma chère maman, Renée Drugeon,
disparue bien trop tôt, à qui je dois l'amour
des belles et nobles histoires.

NOTE DE L'AUTEURE

Si, de nos jours, les idoles appartiennent le plus souvent au monde du spectacle ou des médias, dans les années 1930 et même bien avant, les jolies souveraines d'Europe et d'ailleurs suscitaient l'engouement des foules. Une petite précision, chers et fidèles lecteurs, en vous présentant cet ouvrage qui fait revivre la reine Astrid de Belgique.

Venue de Suède, pays de neige et de légendes, elle a su conquérir son nouveau royaume, la Belgique, au bras de l'homme qu'elle aimait, le prince Léopold.

Elle était belle et douce ; jamais couronne ne fut portée avec autant de grâce modeste. Victime d'un destin tragique, elle a laissé une empreinte à la mesure de son aura lumineuse.

Je tenais à lui rendre hommage en souvenir de mes années d'enfance où j'admirais ses portraits, blottie sur les genoux de ma mère. Le clair visage de la reine Astrid et son regard un peu mélancolique me faisaient rêver.

Elle était très aimée, me disait maman.

Au fil de ces pages, j'ai retracé à la façon d'un roman historique la trop brève existence de la souveraine aux yeux couleur de ciel, pour notre plaisir à tous. Chers lecteurs, à l'approche de Noël, considérez mon livre comme un petit cadeau au parfum de poésie et de nostalgie.

J'espère aussi combler le cœur de mes amis de Belgique, pour qui la reine Astrid est demeurée une étoile qui brille à jamais au firmament de leur passé.

Avec toute mon affection et de très Joyeuses fêtes 2017,

Marie-Bernadette Dupuy

1

Il est un pays où la terre, l'eau et les arbres ont toujours vécu en harmonie. Là-bas l'hiver est symbole de neige, de glace et de silence.

Ces longs mois d'une vie comme ralentie, pétrie de clarté et de blancheur le jour, saturée d'ombre et de mystère la nuit, ont donné naissance à un peuple rêveur épris de légendes.

Dans la forêt, et cela depuis des siècles, le promeneur ou le voyageur égaré a cru deviner derrière les fougères la silhouette menue d'un gnome, ou *tomte*[1], ou s'est imaginé qu'il était suivi par une fée au pied léger. Ce pays du nord se nomme la Suède. À force de patience, de ténacité et de travail, il s'est élevé au rang des autres puissances du monde occidental et des millions de gens y vivent, maintenant.

Il y a des siècles aussi que les hommes de ces contrées lointaines ont conclu un pacte avec le bois de leurs

---

1. Nom suédois des gnomes, petits hommes mythiques des pays nordiques, sorte de lutins.

forêts et l'eau omniprésente, que ce soit celle de la mer Baltique ou celle plus calme des lacs et des rivières. Ils ont construit des bateaux pour partir à l'aventure, ils ont exploré d'autres pays, laissant en souvenir leur rudesse conquérante et l'image de leurs cheveux blonds.

Les Vikings… Certains venaient de Suède. De ces redoutables navigateurs aux yeux clairs, de leur soif de plus vastes horizons, il ne reste que des sépultures faites de pierres levées évoquant la forme d'un navire, comme sur le site de Badelunda, dans la province du Västmanland.

Pourtant, du nord au sud, des étendues glacées de la Laponie aux plaines fertiles de la Scanie, quelle immensité et quelle diversité de paysages! Près du cercle polaire, là où l'on peut contempler le soleil de minuit et le spectacle inoubliable des aurores boréales, vivent les Lapons, éleveurs de rennes et pêcheurs, aux portes d'un désert blanc, domaine d'une nature sauvage et préservée. Plus au sud, on découvre des montagnes, des lacs et des forêts, toujours des forêts, car la Suède est la patrie des résineux et des bouleaux aux feuilles d'argent sous lesquels s'étendent des nappes de bruyères.

Viennent enfin d'autres provinces qui annoncent le climat plus doux des régions méridionales, et l'on quitte le Värmland aux sites solitaires empreints de romantisme pour le centre du pays, la Dalécarlie où les lacs se multiplient, nichée entre les champs et les forêts, encore les forêts… Si l'on descend un peu, en se rapprochant de la mer, l'on découvre une grande ville, une très ancienne cité installée sur un réseau de petites îles, un port aussi qui sépare l'immense lac Mälar de la Baltique ; ses habitants l'ont nommée Stockholm, *celle qui nage sur l'eau* comme l'avait présentée à Nils Holgersson la vieille oie Akka, tandis qu'ils la survolaient avec leurs compagnes de voyage.

Bien sûr, en parlant de ce petit garçon changé en miniature par un tomte en colère, on entre dans le monde des contes et du fantastique. Ce fameux personnage né de l'imagination féconde de Selma Lagerlöf[2] n'a existé que dans l'âme exaltée de milliers de jeunes lecteurs… Mais qui sait ? Combien d'enfants de Stockholm ou d'ailleurs n'ont-ils pas rêvé eux aussi à d'étranges histoires, le nez au carreau de la fenêtre, en observant la rue blanche de neige, en écoutant les rumeurs de la ville et les craquements du feu, le feu qui défend du froid et du noir, aimable prisonnier des lourds poêles de fonte ou des cuisinières rutilantes !

Il faut les comprendre, ces enfants de la Suède. Lorsqu'on vit dans un tel pays, on se laisse facilement

---

2. Romancière suédoise, prix Nobel de littérature, auteure du célèbre roman *Le merveilleux voyage de Nils Holgersson à travers la Suède.*

emporter par une foule de pensées amusantes ou bizarres. Comment ne pas être troublé par ces longs hivers, ces printemps soudains et ces étés si doux où la moindre émotion s'amplifie et réveille une tendre mélancolie ?

À l'époque où commence cette histoire, c'était une petite fille, Margarett, qui se posait le plus de questions. Justement, elle habitait Stockholm, *la ville sur l'eau*, et, même si elle n'en connaissait pas encore tous les charmes, du haut de ses six ans, il lui était arrivé lors de promenades de s'étonner de la beauté des jardins et des églises, de se demander pourquoi tant de ponts et de ruelles, pourquoi tous ces quais et ces bateaux amarrés, pourquoi de si grandes maisons aux façades de pierres ouvragées…

Malgré son jeune âge, Margarett aimait sa ville natale et la vaste demeure où elle vivait avec ses parents. Les gens l'appelaient le «palais»; cela devait expliquer la taille impressionnante des portes et des fenêtres, la longueur démesurée des couloirs et tous les plafonds ornés de lustres…

Pourtant en ce jour de novembre 1905, tout semblait bouleversé, et la fillette se demandait vraiment ce qui se passait. Maman avait disparu, papa aussi…

Quand elle s'impatientait et cherchait à les voir, on lui répondait qu'elle devait être sage, que la cigogne allait bientôt lui apporter un petit frère ou une petite sœur.

Mais Margarett avait déjà une petite sœur qui, pour le moment, était très occupée à déshabiller sa poupée préférée et qui commençait à défaire d'une main experte les boucles blondes encadrant le rond visage de porcelaine.

— Marthe, je t'en prie, arrête tout de suite! C'est ma poupée! Si tu ne m'obéis pas, je le dirais à maman!

Cependant cette menace fut vite oubliée, car, dès le lendemain matin, la gouvernante entra dans la chambre et les conduisit auprès de la princesse Ingeborg, leur mère, qui présenta aux deux enfants muettes de surprise un très joli bébé. Il était un peu trop rouge et paraissait bien menu parmi toutes les dentelles blanches qui faisaient ressortir sa drôle de tête et ses mains minuscules, mais chacun s'émerveillait devant lui, à la grande fierté du prince Charles, son père.

— Regardez votre petite sœur, mes filles! Elle a des yeux couleur de ciel et elle sera brune, je crois… Nous la baptiserons Astrid Sophie Thyra. J'espère qu'elle deviendra aussi douce et bonne que vous, mes chères enfants.

Dans son lit, la princesse Ingeborg souriait en écoutant ces paroles d'espoir et, tout attendrie, elle contemplait sa famille réunie autour du nouveau-né. Margarett et Marthe n'avaient que deux ans de différence. La mine grave et les yeux levés vers leur père, elles se tenaient par la main en attendant sagement de pouvoir observer de plus près ce fameux bébé. Quant au prince, il berçait dans le creux de ses bras la petite Astrid, étudiant le moindre détail de ses traits encore imprécis. Souvent, il effleurait d'un léger baiser le front tiède de l'enfant.

On pouvait penser que des fées bienveillantes s'étaient déjà penchées sur cette si petite personne et qu'elles avaient soufflé aux oreilles de ses parents ce prénom qui devrait plus tard si bien lui convenir, car, en suédois, Astrid signifie *Prête-à-donner-son-cœur*. Il ne fallait pas oublier non plus le sang illustre qui colorait ses joues, la nouvelle venue étant, comme ses sœurs, la nièce du roi de Suède Gustave V, qui, lui, descendait du célèbre Jean-Baptiste Bernadotte, maréchal de France, fondateur de la dynastie. Ainsi par son père, le prince Oscar Charles Guillaume, duc de Vestrogothie et second frère du roi régnant, Astrid avait hérité d'un peu de sang français, alors que sa maman, la princesse Ingeborg, avait pour frère le roi du Danemark, Christian X.

De ce pays voisin lui viendraient la transparence de teint et le regard clair des Scandinaves, de charmants attraits dont sa mère était loin d'être démunie, elle qu'on avait surnommée Rayon de Soleil. Sans aucun doute, les gens de Stockholm se réjouiraient de cette naissance, eux qui avaient coutume, les jours de cérémonie, d'admirer le prince Charles dans son uniforme couleur d'azur, un uniforme qui lui avait valu d'être appelé le Prince bleu.

Or, sous ces noms dignes des contes pour enfants sages se cachaient des âmes vraiment nobles et des cœurs vibrants d'amour, non seulement de l'amour qui se doit d'exister entre mari et femme et au sein d'une famille, mais aussi de l'amour du prochain, de celui qui souffre ou qui désespère. Si la princesse Ingeborg savait dispenser autour d'elle une douce impression de chaleur et de lumière, le prince Charles devait être sa vie durant un modèle de courage et de dévouement.

Cet homme avait besoin de se dévouer, de se consa-crer à l'apaisement des misères humaines. Docteur en médecine de l'université d'Upsal, il usait de son savoir et de son intelligence pour aider les autres, pour trouver des solutions aux problèmes les plus urgents. Un tel père ne pouvait que devenir un exemple chéri et respecté ; il donnerait à ses enfants des leçons simples, mais combien marquantes, et leur enseignerait la charité et la vertu.

Ce 17 novembre 1905, on était encore loin des sombres jours de guerre qui terniraient de sang et de larmes l'Europe entière, mais plus tard, à l'âge des jeux insouciants et des rêves d'aventure, Astrid attendrait comme tous les siens des nouvelles du Prince bleu, le sachant confronté aux pires dangers ; elle écouterait le cœur battant le récit de ses faits et gestes. Et Margarett, déjà jeune fille, serait souvent la première à raconter, d'une voix émue :

— Papa est en Autriche, sur le front. Il va bien, il vient d'organiser un service d'ambulances ! Grâce à lui, des vies seront sauvées. Il suffit de si peu, parfois ! Astrid, chaque minute a son importance !

Plus tard, ce même homme irait jusqu'en Russie, alors que ce pays gigantesque connaîtrait la violence et les tourments d'une révolution à son échelle, pour veiller sur le sort des blessés et les secourir.

Comment s'étonner, devant les mérites de Charles de Suède, de lui voir une si jolie épouse, de vingt ans sa cadette pourtant, une femme gaie et gracieuse qui lui prouvait chaque jour son amour et son admiration.

16

Astrid était également une de ces preuves. Bien vivante, elle se manifestait pour l'heure par des cris véhéments, affamée sans doute. Elle souhaitait faire comprendre à tous ceux qui se contentaient de la regarder ou de lui murmurer des compliments qu'il était temps de songer à la nourrir. Les petites princesses ont les mêmes exigences que les petites bergères et personne n'avait le droit d'oublier une telle évidence.

❧

La princesse Ingeborg passa un hiver tranquille, à s'occuper de ses trois filles avec toute l'attention et la tendresse d'une mère comblée. Lorsque la neige fit son apparition, elle prit le bébé dans ses bras et s'approcha de la fenêtre. Le vol léger des flocons, que le vent faisait tourbillonner de l'autre côté des vitres, parut intéresser la petite Astrid dont le regard étonné prit soudain une gravité studieuse. Marthe souriait d'un air entendu en se haussant sur la pointe des pieds pour mieux voir le visage sérieux de sa sœur cadette.

— Oh! Maman, racontez-lui l'histoire de madame Neige, la bonne dame qui vit dans le ciel. Quand elle secoue son édredon, il neige chez nous, n'est-ce pas?

— Je crois que nous lui raconterons toutes ces belles histoires lorsqu'elle sera en âge de les comprendre, Marthe ! Regardez-la ! À trois mois, je crois que nos bavardages ont surtout le don de l'endormir.

La nuit envahissait la grande ville engourdie par le froid et la neige, tandis que, sur l'îlot de Riddarholmen, là où se dressait Kungliga slottet, le château royal, les cloches de la cathédrale Storkyrkan sonnaient d'un timbre joyeux à chaque heure du soir comme à chaque heure du jour.

C'était là le véritable cœur de Stockholm, *la cité-entre-les-ponts*, Gamla Stan, ses rues sombres et ses ruelles au dessin médiéval, avec au centre la petite place Stortorget, la plus ancienne place de la cité elle-même sept fois centenaire. Là s'élevaient le bâtiment de la Bourse ainsi que l'Académie suédoise ; des voies étroites y conduisaient, bordées de vénérables maisons.

Les eaux du lac Mälar venaient clapoter en bas des quais et tous ces vieux quartiers semblaient se dresser fièrement au-dessus d'elles, les défiant la plupart du temps, mais s'y reflétant parfois selon les caprices de la lumière…

❦

Ainsi s'écoulèrent les toutes premières années de la princesse Astrid. Elle apprit à marcher dans les longs couloirs du palais ; ses sœurs aimaient la conduire à petits pas vers leur mère, heureuses de servir de guide à cette jolie poupée dont le sourire exprimait déjà une joie de vivre proche de l'enchantement. Le prince Charles, malgré les nombreuses charges et obligations dues à son rang, prenait le temps de s'occuper de ses trois filles, jouant avec elles et veillant à leur instruction.

Quant à la princesse Ingeborg, elle ne les quittait guère et elle s'amusait à les observer, étudiant leurs caractères et les diverses facettes de leur personnalité. Toujours consciente de l'importance de son rôle d'aînée, Margarett était tendre, malicieuse aussi, fantaisiste sans exagération. Marthe, elle, se révélait d'une sagesse remarquable ; c'était une fillette calme et douce, appliquée en toutes choses. Mais comment juger Astrid, alors qu'elle était encore si petite ? Sa mère se contentait de la câliner et de lui parler lentement, pour bien se faire comprendre.

À la fin du printemps, à l'époque où la nature se prépare à la grande fête de l'été, la princesse Ingeborg accompagnait ses filles dans les jardins du château royal, leur faisant admirer les fleurs et les arbres, cueillant pour Astrid une fragile violette ou une anémone aux pétales de satin rouge. L'enfant contemplait avec un sourire confiant le délicat trésor posé dans la paume de sa mère et, souvent, elle tendait la main afin de s'en emparer. Elle répétait alors le nom de la fleur, comme elle savait déjà montrer dans le ciel les mouettes de la mer Baltique en les désignant d'un singulier vocable de son invention.

— Notre Astrid aimera les fleurs, et peut-être les oiseaux! disait-on en riant.

Mais chaque jour et chaque mois contribuaient à éveiller l'esprit de la petite. Bientôt, elle fut à l'âge où l'on apprend à lire et où la moindre image a le pouvoir de fasciner. En vérité, tout devenait à la fois plus simple et plus compliqué.

On appelait une mouette une mouette, sans défaut de prononciation, mais on se demandait avec inquiétude ce que pouvaient bien signifier leurs cris aigus et ce que cherchaient ces beaux oiseaux blancs à lutter ainsi contre le vent du nord.

Quand passaient sous les fenêtres les gardes à cheval, la fillette frappait des mains, car c'était là le régiment bleu, le fameux régiment qui avait son père bien-aimé pour colonel. Mais, l'instant suivant, un doute la prenait. Serait-elle digne un jour de porter un aussi bel uniforme? Les princesses en avaient-elles le droit, d'ailleurs? Mais un rêve, surtout, obsédait l'enfant, encline aux idées les plus fantasques.

Le prince Charles avait toujours pris le temps d'écrire le récit de ses voyages à l'étranger et il aimait en lire des passages à ses filles. Confortablement assis dans un fauteuil, il leur faisait découvrir par la magie des mots d'autres pays, des contrées lointaines où rien ne ressemblait à ce qu'on voyait en Suède. Astrid écoutait avec une attention presque douloureuse, émerveillée, bien sûr, mais bouleversée aussi.

— Je voudrais tant voir ces pays un jour ! Je voudrais m'envoler tout de suite, découvrir le monde, traverser la mer et même les océans… Et du haut du ciel, comme Nils Holgersson !

La princesse Ingeborg soupirait en caressant les joues rondes de sa fille. Elle tentait d'apaiser son exaltation et de la rassurer.

— Il ne faut pas t'inquiéter. L'avenir réserve tant de surprises à ceux qui ont la patience d'attendre ! Plus tard peut-être feras-tu de grands voyages comme ton père et raconteras-tu à tes enfants ce que tu auras vu dans ces pays dont tu rêves !

Astrid approuvait sans conviction, mais se consolait vite en pensant qu'elle avait beaucoup de chance, parce que, en y réfléchissant bien, son pays natal lui plaisait plus que tous les autres. Souvent, Marthe ouvrait pour elle son livre de géographie et lui montrait sur des cartes les différentes régions de la Suède ; la petite fille récitait le nom de toutes ces provinces où les arbres sont rois, où l'eau est souveraine… Elle découvrait ces îles et ces anses tranquilles, ces landes désertes et ces forêts de pins, ces plaines de Scanie où le vent est plus tiède.

— Nils Holgersson n'est pas tellement à plaindre d'avoir voyagé sur le dos du jars blanc ! Quand nous retournerons à Fridhem, je regarderai bien dans l'écurie pour voir s'il ne s'y trouve pas un tomte !

Marthe riait gentiment en refermant son livre.

— Astrid, Nils était très méchant avant de partir avec les oies. Et ce n'est qu'une histoire ! Tu dois aller dormir, maintenant.

La vie suivait son cours paisible dans ce royaume démocratique où l'on préférait les attraits de la nature à ceux des fastes désuets. En 1911, pourtant, ce fut au tour d'Astrid de guetter l'arrivée de la cigogne. Celle-ci s'était enfin décidée à apporter à la princesse Ingeborg et à son époux un petit garçon. On le baptisa Charles et il reçut lui aussi de ses sœurs et de ses parents tout l'amour dont il avait besoin pour grandir en sagesse et en courage.

2

— Quand nous serons à Fridhem !

Ces quelques mots étaient à eux seuls une promesse de joie et de beauté. Ils évoquaient le petit château que possédaient les parents d'Astrid au sud de Stockholm, une propriété entourée de grands arbres et de verdure. La famille se rendait là-bas le plus souvent possible pendant l'été ou à l'époque de Noël, et chaque année passée apportait sa moisson de doux souvenirs et d'heures délicieuses. Fridhem, *la maison de la paix…*

Le soleil de juillet savait jouer entre les hautes branches d'un chêne centenaire sous lequel Margarett et Marthe aimaient s'installer pour broder. Elles étaient maintenant à l'âge où il ne suffit plus de s'amuser et la princesse Ingeborg les encourageait à s'instruire dans toutes les disciplines, y compris la couture, la cuisine ou la musique.

Mais Astrid avait encore le temps de flâner dans les allées du parc limpide pour suivre le vol d'un oiseau ou se pencher avec tendresse sur une fleur, peut-être celle qui avait abrité la fragile Poucette[3] quand l'hirondelle l'avait emmenée de l'autre côté des mers et l'avait déposée dans un magnifique jardin où l'attendait le bonheur.

D'autres compagnons invisibles surgissaient ainsi des livres dès que la petite princesse se retrouvait seule. Dans cette demeure presque enchantée à ses yeux d'enfant, elle se croyait sur le seuil d'un monde imaginaire mystérieux, comme cette jolie Alice qui découvrait le Pays des Merveilles en suivant un lapin blanc.

En grande timide, il lui semblait plus facile de vivre des aventures par procuration. Cela la poussait à lire et à relire sans cesse ses contes préférés. Et, lorsque la neige recouvrait les pelouses de Fridhem, le cœur d'Astrid battait plus vite, de joie et d'impatience.

Tout serait au rendez-vous, les branches ornées de givre dans le parc, les bonnes odeurs de pâtisserie mêlées aux senteurs plus âcres des feux de bois…

— Marthe, le sapin est décoré. Viens vite le voir ! Je crois bien qu'il est encore plus beau que l'année dernière !

---

3. Personnage principal de *Poucette*, un des célèbres contes de l'écrivain danois Hans Christian Andersen.

Les enfants couraient admirer l'arbre de Noël dressé dans le hall donnant sur le salon, et c'étaient des exclamations ravies, des sourires éblouis.

— Il est magnifique! Regarde comme il brille! Et les bougies! Je voudrais déjà les allumer!

Majestueux, le sapin se parait de boules argentées et de guirlandes scintillantes. Ses fines aiguilles d'un vert sombre luisaient doucement, dégageant un grisant parfum de résine fraîche et de forêt. Astrid osait parfois l'effleurer d'un doigt caressant, comme pour lui témoigner son respect et son affection. Sans lui, la fête aurait perdu beaucoup de son charme, même si la princesse Ingeborg avait coutume de disposer dans la chambre de ses enfants un petit sapin particulier, dont elle venait allumer les bougies le matin de Noël, avant leur réveil. Quand ils ouvraient les yeux, ces frêles flammes brillant dans l'ombre les faisaient bondir hors du lit, pour se précipiter sur le bas de laine où se cachaient leurs cadeaux. Puis on rejoignait les parents attendris. Margarett portait d'un air solennel le plateau du petit-déjeuner où l'on trouverait les tartes confectionnées à cette seule occasion, les *tartes de Noël*, et aussi le café brûlant et le lait tiède.

— Oui, vraiment! se disait souvent la petite Astrid. À Fridhem, tout est plus beau, et je ne pourrai jamais oublier cet endroit. Il restera dans mon cœur aussi longtemps que je vivrai.

Mais la belle saison avait également de nombreux charmes et l'été, si court en Suède, n'en paraissait que plus radieux, riche d'un soleil attendu avec une sorte de fébrilité, même dans ces régions où l'hiver se montrait moins rude que dans les contrées du Nord.

Lorsque les frondaisons de Fridhem se couvraient de feuilles neuves, une multitude de fleurs délicates coloraient les parterres, à la grande joie d'Astrid qui ne se lassait pas de les contempler ou de cueillir pour sa maman de petits bouquets odorants, au moins un chaque jour.

Dans ce décor où régnait l'harmonie, les trois filles de la princesse Ingeborg et du prince Charles s'épanouissaient, elles qui étaient nées et qui avaient grandi au sein d'une famille heureuse. Quand leur mère recevait une amie ou des parents, on faisait appeler les enfants et on voyait alors entrer dans le salon ces fillettes en robe blanche, leur clair visage auréolé de boucles d'un châtain lumineux, si légères, si gracieuses que beaucoup auraient pu s'exclamer, comme la baronne Surcouf:

— Elles ont la grâce aérienne des fées-enfants !

— Une fée-enfant, je suis une fée-enfant ! chantonnait Astrid en sautillant autour de l'automobile de son père.

Quel plus beau compliment pouvait-on faire à cette petite fille craintive qui n'aurait certes pas refusé l'aide des lutins et des vraies fées si, par le plus merveilleux des hasards, elle avait rencontré de telles créatures !

❦

Pourtant, ce jour-là, aucun souci ne la dérangeait. Elle était toute à la joie de faire une promenade dans la puissante voiture aux coussins confortables. Au plaisir de la vitesse s'ajoutait celui de la découverte. Le paysage défilait à une allure nouvelle et le vent vous décoiffait. On pouvait imaginer un instant qu'on s'envolait pour aller toujours plus vite, toujours plus haut.

Le goût prononcé que manifestait leur fille cadette pour ces sorties en automobile étonnait un peu ses parents, qui se désolaient souvent de sa timidité et de son manque d'audace. La princesse Ingeborg se souvenait encore très bien du premier bain de mer d'Astrid, alors qu'elle était âgée de six ans : les vagues l'avaient effrayée, elles qui venaient sans cesse vers elle comme pour l'emporter au large. Prise de panique,

27

la petite ne se décidait pas à se baigner, malgré les reproches de sa mère et les encouragements des autres enfants.

— Maman, tu oublies que je suis si petite et que la mer est si grande !

Il fallait bien accepter certains traits de caractère de la fillette. Si elle pleurait facilement et se révélait toujours aussi timide, Astrid possédait de grandes qualités qui lui attiraient déjà l'estime des siens. Son sourire en était une charmante émanation. C'était comme si la pureté et la bonté de son cœur illuminaient ses traits enfantins et leur conféraient leur éclat surprenant.

— Elle doit ressembler à son ancêtre Bernadotte, disait-on. C'est le sang français, le sang méridional dont elle a hérité.

— Non, elle ressemble à son père, le Prince bleu ! Il est si beau, le frère de notre roi !

Le roi de Suède lui-même devait avouer qu'il éprouvait une petite préférence pour sa nièce Astrid ; il n'oubliait jamais de lui offrir une nouvelle poupée chaque fois qu'il revenait d'un voyage, officiel ou non. Ces poupées au visage de porcelaine venaient prendre place auprès des plus anciennes, dans la chambre de Fridhem ou au fond du jardin d'été, là où on avait aménagé une maisonnette pour les enfants.

— Maman, puis-je inviter mes amies ? Je préparerai le goûter et le café. Ce sera si amusant !

Un jour ensoleillé, la princesse Ingeborg donna sa permission, non sans répéter à Astrid qu'elle devrait s'acquitter «vraiment» seule de toutes les tâches concernant ce goûter tant espéré. La fillette rayonnait de plaisir et de fierté. Elle demanda seulement un grand tablier avant de se mettre au travail. Elle entra dans la petite maison armée de tout son courage, un balai à la main, en saluant d'un sourire rêveur cet endroit qui se prêtait si bien au jeu.

Margarett et Marthe y venaient rarement, désormais ; elles étaient un peu trop grandes pour le mobilier du lieu, qui avait été construit à la taille des enfants, un détail d'une extrême importance quand on sait à quel point ils aiment utiliser des accessoires à leur dimension.

Astrid fit le ménage avec un entrain joyeux. Une fois le fourneau allumé et les vitres redevenues d'une transparence correcte, la petite princesse se mit à la cuisine.

— Ah! La recette des *smorbrods*! Nenne me l'a notée sur une feuille de cahier… La voici!

Le front soucieux, la maîtresse de maison d'un jour étudiait soigneusement la recette de ces délicieuses galettes suédoises, très légères, qui font le régal de tous. Puis elle se retournait vers le four pour surveiller la cuisson d'un gâteau, en souhaitant sincèrement ne pas décevoir ses invités.

❦

Une des distractions préférées de la famille restait une sortie en forêt, la magnifique forêt suédoise où les sapins s'élancent à l'assaut du ciel et où les bouleaux ont un éclat argenté sous la lumière de midi. Le prince Charles les accompagnait s'il le pouvait; autrement, c'était son épouse. Parfois, et c'était alors une vraie fête, papa et maman venaient ensemble. On déjeunait à l'ombre des arbres, près d'une source, et la nappe blanche posée sur la mousse semblait attirer le moindre rayon de soleil.

Astrid était si heureuse qu'elle veillait soigneusement au confort de tous et tenait à faire le service, comme pour remercier les siens de partager avec elle de si doux instants. Le repas se composait souvent de fromage au cumin, de smorbrods et de toasts au renne fumé. Le fait de déguster ces mets au milieu des bois les rendait sans aucun doute plus savoureux, car chacun mangeait de bon appétit en écoutant le moindre bruit avec curiosité, les chants d'oiseaux, le murmure des feuilles agitées par le vent d'été ou le passage discret d'un animal craintif non loin de là.

Comme chaque enfant de Scandinavie, la petite Astrid retenait sa respiration. Sa jeune âme était bouleversée par l'éternelle présence de la Forêt, à qui elle attribuait un esprit généreux et protecteur, osant à peine imaginer ses secrets et ses forces mystérieuses.

— Notre pays ne serait rien sans sa forêt. N'est-ce pas, Marthe?

— Je crois bien que ce ne serait plus le même. Astrid, tu as raison, la forêt est toute puissante, chez nous…

La petite princesse méditait ces paroles et songeait qu'il était bien agréable d'appartenir à un tel pays, où les lacs sont si nombreux qu'ils attirent vers eux des fleuves, des rivières et des ruisseaux, ces ruisseaux aux eaux claires et fraîches où se cachent les écrevisses. Précisément, la pêche aux écrevisses demeurait un des plaisirs favoris de son père lorsqu'ils séjournaient à Fridhem, un plaisir auquel il s'adonnait en compagnie d'Astrid depuis longtemps.

Le Prince bleu se chargeait des épuisettes, sa fille du panier tapissé de feuilles. Ils marchaient tous les deux le long d'un chemin tranquille et, bientôt, ils entendaient la chanson du ruisseau, un chant si gai que les écrevisses ne se méfiaient pas et qu'elles se laissaient parfois attraper par une fillette pieds nus dans l'eau qui riait aux éclats, aussi libre et insouciante que les jeunes paysannes des provinces voisines, celles qui dansaient autour des feux de la Saint-Valborg[4] en corsage brodé, leurs cheveux blonds ornés de rubans multicolores.

Les années passaient trop vite, ces années de la plus tendre enfance dont le souvenir ne s'efface jamais, qui vous marquent au contraire de leur empreinte magique, qui se réveillent au gré de la vie à cause d'un ancien refrain fredonné ou du parfum des fleurs au crépuscule, dans un jardin. Alors, qu'on soit une femme ou un homme, un adolescent ou un vieillard, le cœur se serre, les yeux se ferment pour nous permettre de mieux retrouver ce temps lointain où l'on savait rire et rêver, où l'on s'endormait sans crainte dans la maison de ses parents.

Astrid avait maintenant de longs cheveux châtains, presque bruns, et elle s'efforçait d'être une enfant sage.

---

4. Fête suédoise qui célèbre le retour de la belle saison, correspondant un peu à notre Saint-Jean.

Elle étudiait avec application et prenait son ouvrage de broderie dès qu'elle disposait d'un peu de loisirs. Souvent, l'aiguille à la main, il lui arrivait de regarder par la fenêtre, ses grands yeux clairs levés vers le ciel, à guetter le passage des oiseaux migrateurs…

— Tu te souviens, Margarett, du jour où nous avons marché si loin dans la forêt? Nous ne pensions plus à rien, comme décidées à aller au bout du monde. Et l'ombre est venue…

— Oui, tu avais peur. Tu croyais voir des trolls[5] entre les arbres!

— Et notre maman qui s'inquiétait… Par chance, nous avons retrouvé la route et il y a eu ce camion, et son brave chauffeur qui nous prenait pour les filles du jardinier de Fridhem.

En évoquant cette aventure, Margarett éclatait de rire en secouant la tête. Mais, un peu plus sérieuse, Astrid s'attendrissait, se demandant avec un soupçon d'inquiétude combien de temps encore elle resterait une petite fille, car, en vérité, l'avenir l'angoissait beaucoup. Elle songeait notamment à ces grandes

---

5. Ennemis des gnomes, sorte de créatures repoussantes et méchantes.

personnes à qui il fallait faire la révérence et un brin de conversation, alors qu'on aurait surtout envie de se taire ou de s'enfuir dans sa chambre.

Les jours de Noël passés à Fridhem n'avaient rien perdu de leur douceur enchantée, mais le sapin semblait moins grand et seul le benjamin de la famille, le petit Charles, devait se hausser sur la pointe des pieds pour en distinguer tous les ornements. La princesse Ingeborg était toujours aussi jolie et le surnom de Rayon de Soleil lui convenait autant que les années précédentes.

Quant à Margarett et à Marthe, elles s'étaient transformées en de ravissantes jeunes filles dont on vantait sans cesse la perfection. Astrid les admirait et les aimait avec ferveur, ses sœurs aînées étant par excellence des modèles de charme et de bonnes manières, mais elle craignait vraiment de ne jamais pouvoir les égaler. Il lui faudrait apprendre tant de choses encore avant d'acquérir leur grâce et leurs talents !

Hélas, on approchait des années tragiques où le sort de l'Europe allait inquiéter le monde entier. La princesse Ingeborg racontait à ses filles le terrible incident de Sarajevo et, le soir, le Prince bleu soupirait en discutant à voix basse avec son épouse tout en souriant à Astrid d'un air triste, si bien qu'une ombre inconnue semblait s'être glissée dans la pièce paisible, une ombre qui se nommait la Peur.

Bien sûr, à neuf ans, on oublie vite ce genre d'ombres, qui ont plus de pouvoir sur les adultes. On préfère regagner son refuge, sa chambre riche de tous ses trésors, de ses poupées aux joues roses et des livres tant de fois feuilletés. Astrid n'échappait pas à cette règle, mais souvent son père s'absentait et, à Stockholm, on parlait beaucoup de ce prince qui se dévouait sans relâche, le grand chef de la Croix-Rouge suédoise, et la fillette avait envie d'embrasser cet homme si bon et si brave à qui elle espérait tant ressembler plus tard. Elle rêvait de le voir franchir les portes du palais dans son uniforme bleu, le front auréolé de ses fines boucles blanches.

3

Astrid venait de fêter ses treize ans. En ce mois de novembre 1918, la fillette avait remarqué que les visages de ses parents et des autres membres de sa famille semblaient particulièrement détendus et joyeux. Son institutrice lui avait, bien sûr, parlé des derniers événements qui avaient bouleversé l'Europe, mais cela restait un peu confus dans son esprit et elle préférait attendre la version de sa mère ou de son cher papa.

Pourtant, depuis seulement une semaine, la guerre était finie et l'armistice avait été signé à Rethondes, dans un wagon, à la onzième heure du onzième jour du onzième mois. Les empereurs d'Allemagne et d'Autriche–Hongrie avaient abdiqué et on pouvait enfin parler de la paix, panser les blessures de tous ces pays qui osaient à peine croire à la fin du cauchemar.

Quatre ans de tourmentes et d'horreurs, quatre ans de terreur et de souffrances! Comment oublier ces longs jours et ces longs mois où l'on avait cru n'avoir plus d'avenir, où les êtres chers disparaissaient à jamais, ne laissant d'eux qu'un nom sur une carte brodée de noir?

Si la Suède était restée neutre pendant ce long conflit, cela n'avait pas empêché son peuple de trembler lorsque certains échos trop proches lui parvenaient ou de compatir aux malheurs des nations voisines.

Un tel orage ne passe pas sans endeuiller le cœur de tous les gens de bien et, longtemps après, on aime raconter les exploits de ceux qui ont su se battre ou faire preuve du plus grand courage.

Margarett et Marthe écoutaient ces récits attentivement; elles comprenaient sans difficulté les grandes lignes de cette atroce épopée, mais, pour Astrid, les mots prenaient un sens différent et, très impressionnée par ce qu'elle entendait, elle ne pouvait empêcher son âme éprise d'absolu de voler vers celle des héros.

Assise sagement auprès de ses sœurs, la mine grave, ses cheveux sur les épaules, ses yeux d'une lumineuse douceur emplis de rêve, la fillette inventait souvent des scènes dignes des anciennes sagas scandinaves. Ce n'était plus l'attrait du merveilleux qu'elle avait éprouvé toute petite, désormais. À l'âge où l'on entre doucement dans l'adolescence, Astrid avait besoin d'admirer des êtres d'exception, de puiser dans leur exemple des forces neuves pour affronter la vie, un avenir dont elle ignorait les surprises et les chagrins comme la plupart des gens, rois ou mendiants, princesses ou paysannes.

— Maman, parlez-nous encore du *Roi-Soldat*. Je n'ai pas bien compris pourquoi il a fait ouvrir les écluses…

La princesse Ingeborg souriait et abandonnait un instant son livre. Le monde entier avait déjà vanté les mérites de celui qu'on surnommait le Roi-Soldat, Albert 1er de Belgique, l'homme qui avait refusé l'ultimatum de l'Allemagne en août 1914. Il avait répondu : «Vous ne passerez pas!» à ceux qui exigeaient qu'on leur accorde le droit de traverser son petit pays pour attaquer la France par sa frontière nord. Malgré cela, des troupes nombreuses avaient envahi les terres de Flandre et les collines de Wallonie, en violation de la neutralité de ces contrées paisibles.

Là encore, Albert 1er avait montré sa bravoure en prenant le commandement d'une armée mal préparée, qui avait pourtant réussi à ralentir une invasion qui se voulait aussi vive et implacable que la foudre.

— Le roi Albert a démontré autant de vaillance que son ancêtre Baudouin Bras-de-Fer, un comte de

Flandre qui a vécu il y a très longtemps. Mais l'ennemi ne lui a pas pardonné sa résistance et le peuple belge a beaucoup souffert.

— Continuez, maman, je vous en prie !

— La précieuse bibliothèque de Louvain a été brûlée et des centaines d'ouvrages remarquables ont disparu, les musées ont été pillés, les églises aussi, des villages ont été saccagés et, à plusieurs reprises, on a exécuté des groupes de civils de manière cruelle… Ce ne sont pas des choses faciles à admettre et tu es si jeune, Astrid ! Je ne voudrais pas t'attrister avec ces récits tragiques.

— Et l'histoire des écluses ?

— Oui, j'oubliais. Le roi Albert a pris cette décision pour faire reculer les troupes allemandes en noyant à demi le champ de bataille. Les eaux libérées en ont fait un vrai lac. Cela s'est passé quand les Belges barraient la route des grands ports voisins, comme ceux de Dunkerque et de Calais, vers Ypres où ils avaient le soutien de l'armée anglaise.

Astrid soupirait, soudain silencieuse, puis elle se tournait vers la fenêtre où les pluies d'automne ruisse-laient sur les vitres. Combien de fois en quelques jours avait-elle déjà imaginé cette scène fabuleuse à laquelle son esprit encore un peu naïf prêtait une dimension légendaire ?

Dans son imagination, le roi de Belgique s'avançait à cheval entre ciel et terre, sa voix de guerrier ordonnait à ses valeureux compagnons d'actionner le lourd mécanisme des écluses et la mer s'élançait au secours des hommes ; elle était devenue leur alliée, elle qui savait si bien parfois détruire leurs constructions ou ravager leurs domaines.

Avec un petit frisson, la jeune princesse songeait à sa ville épargnée, la belle Stockholm construite sur l'eau, la cité magique ouverte sur les vagues de la Baltique et bercée par les flots du lac Mälar. Quelle sérénité se dégageait de ces lieux où elle avait grandi ! Quel privilège de ne pas vivre dans un pays endolori, démuni, un pays frappé au cœur !

— Pauvre Belgique, si je pouvais les aider, là-bas, comme papa l'a fait en Autriche…

Mais le Prince bleu l'avait rassurée : elle était encore trop jeune pour courir soulager ceux qui souffrent, mais il avait la conviction que, plus tard, sa fille chérie saurait «donner son cœur», comme le suggérait le prénom qui lui allait si bien. Malgré sa timidité et sa candeur, Astrid se sentait alors pleinement heureuse et elle se promettait de ne pas trahir les espoirs de son père.

— Je saurai me dévouer et aider les plus pauvres, les plus faibles, pensait l'adolescente en souriant.

Cette idée la ramenait de nouveau en Belgique, parce que ses sœurs lui avaient raconté un soir la conduite généreuse de la reine Élisabeth, l'épouse du Roi-Soldat. Née Élisabeth de Wittelsbach, duchesse de Bavière, elle portait le même prénom que la célèbre Sissi et elle appartenait à cette famille illustre. Elle n'avait écouté que sa compassion et avait endossé une tenue d'infirmière pour rejoindre les hôpitaux du front afin d'y soigner les blessés et de visiter les soldats «sous la mitraille», qu'elle tentait de réconforter d'un mot gentil et d'un sourire confiant.

Margarett ajoutait d'une voix émue :

— Ce n'est donc pas étonnant de voir à quel point les Belges ont fêté leurs souverains. En outre, la famille royale a été acclamée dans toutes les grandes villes du pays. À Gand, à Bruges et à Anvers comme à Bruxelles, les gens ne pouvaient pas calmer leur enthousiasme, leur ferveur joyeuse. Regarde ces photographies,

Astrid, les rues sont pavoisées pour célébrer la victoire. Il y a des femmes qui pleurent, leurs enfants dans les bras.

Attendries, les deux sœurs s'attardaient devant ces images d'un peuple en liesse et contemplaient avec respect les visages du roi et de la reine. Albert 1er semblait modeste et bon ; il évoquait les chevaliers des anciens temps qui défendaient les opprimés sans se soucier d'eux-mêmes. Élisabeth offrait à la foule un sourire radieux ainsi que l'expression charmante de l'espérance et de la douceur.

— Mais qui est ce jeune homme blond ? Il ressemble à un ange.

— Astrid, je pensais que tu le reconnaîtrais. C'est le prince Léopold. Derrière lui, c'est son frère Charles, qui voudrait devenir marin. Voici encore Marie-Josée, leur sœur. Elle a des cheveux magnifiques, paraît-il.

Et les deux jeunes filles reprenaient avec plus d'entrain leur ouvrage de broderie, heureuses de savoir qu'il existait encore, dans un petit pays riche de volonté et de courage, une famille royale digne des contes de fées, la famille royale de Belgique.

Un matin, Marthe avait ajouté de nouvelles anecdotes à celles déjà entendues et, cette fois, il était question du jeune prince Léopold, si mince et si droit sur son cheval. Astrid écoutait sa sœur sans l'interrompre ; l'histoire lui plaisait et donnait une aura de vertu au fils aîné du roi Albert 1er.

— Le prince a eu, bien sûr, des rudiments d'instruction militaire, mais, au mois d'avril 1915, à l'âge de quatorze ans, il a voulu faire partie d'un des régiments de son père. J'ai lu aussi qu'il a participé à une marche de vingt kilomètres avec un fusil au côté et un havresac sur le dos, alors qu'il était encore un enfant… enfin, presque. Ensuite, il lui a fallu retourner au collège d'Eton, en Grande-Bretagne, mais cela l'ennuyait, il préférait les mois de vacances où il rejoignait l'armée. Il a même participé à des assauts sur le front !

— Son père doit être fier de lui ! murmurait Astrid d'un ton rêveur.

Marthe avait eu un sourire malicieux et un peu moqueur.

— Tu n'es pas trop à plaindre, je crois. Papa disait encore samedi à un de nos invités que tu es « un vrai cadeau du ciel » !

Astrid avait regardé sa sœur en souriant à son tour, mais avec une telle douceur et une telle lumière dans les yeux que Marthe en avait été bouleversée et qu'elle avait embrassé sa sœur cadette avec tendresse.

— Papa a raison, tu es aussi jolie et généreuse qu'une petite fée et, lorsque tu souris ainsi, on se sent soudain plus heureux. Je ne peux pas bien expliquer pourquoi, mais c'est sans doute un don que tu as reçu en venant au monde.

Les saisons passaient, le printemps et l'été, sources d'une clarté bienfaisante où les Suédois puisaient les forces nécessaires pour affronter les mois d'hiver, puis revenait la neige, cette neige que la jeune princesse Astrid aimait tant.

Pourquoi éprouvait-elle une joie si grande à la vue des premiers flocons ? Quel charme trouvait-elle aux paysages nappés d'un blanc pur, festonnés de givre dans leurs moindres détails, que ce fussent les branches des sapins, leurs aiguilles sombres, ou les fins rameaux des sorbiers ?

Quand l'eau des lacs gelait, les transformant en de vastes patinoires où s'amusait toute la population, que ce fût celle de Stockholm ou celle du moindre petit village, Astrid chaussait ses patins et filait sur la glace en compagnie de ses cousines et de son frère, se grisant d'air froid et de vitesse, simplement heureuse comme tant d'autres enfants de son pays.

Souvent, la famille réunie partait passer quelques jours dans la montagne où on s'adonnait aux sports de circonstance, le ski ou la luge, dans un décor digne des célèbres Contes d'Andersen, un des auteurs favoris d'Astrid, un voisin, en vérité, puisque cet écrivain de génie était né au Danemark juste cent ans avant elle.

Assise devant un bon feu de bois, cette jolie princesse de quinze ans ne songeait-elle pas aux histoires qui avaient bercé son enfance, comme celle de la Reine des Neiges, une créature aussi belle que maléfique, pourtant vaincue par la frêle Gerda, la fillette au cœur pur et à l'amour invincible ? Astrid croyait avec ferveur à la puissance mystérieuse qui naît d'une âme sans méchanceté, une âme toute encline au pardon et à la charité. Un jour, pendant un cours de religion, le pasteur lui avait posé cette question :

— Que pensez-vous de Dieu ?

D'une voix confiante, le ton joyeux, elle avait répondu aussitôt :

— Dieu pardonne à tous, Dieu pardonne tout, Dieu est pardon.

4

Arrive un jour où les enfants sont en âge de quitter la douceur du nid familial. Les princesses de Fridhem n'échappaient pas à cette loi. Elles avaient grandi auprès d'un père passionné de belles lettres et de musique, alors que leur mère avait toujours tenu à surveiller les devoirs prescrits par l'institutrice qui venait au palais. De même, sans jamais être escortée de gardes ou d'amies dévouées, la princesse Ingeborg les emmenait souvent visiter des musées ou des magasins, heureuse de se promener en compagnie de ses filles dans les rues d'une ville au charme célèbre.

Astrid dut donc se plier à certaines obligations ; elle fréquenta deux écoles, l'une à Stockholm, l'autre qui portait le nom de Saint-Botvid, située dans une petite cité nommée Saltsjöbaden, où elle devait laisser un vif souvenir.

— Maman, comment dois-je me comporter, là-bas ? Et que ferons-nous, pendant les cours ?

Pleine d'appréhension, l'adolescente ouvrait de grands yeux clairs, d'une couleur hésitant entre le vert des feuillages et le bleu des lacs. Elle soupirait en attendant la réponse de sa mère.

— Ne sois pas si anxieuse ! Tu auras sans doute des amies et tu apprendras à travailler parmi elles, à confier tes impressions ou tes doutes.

— C'est vrai, monseigneur Söderblom m'a dit de dominer ma nature craintive et d'être courageuse.

Cet homme admirable, archevêque luthérien d'Upsal, avait tout de suite eu une grande influence sur Astrid. C'était un disciple de Leibniz, persuadé qu'il fallait redonner une unité aux sectes protestantes et renouer contact avec le Vatican. Il avait fondé ce pensionnat français pour jeunes filles, Saint-Botvid, où la princesse Ingeborg avait inscrit sa fille cadette.

— Maman, je me plais beaucoup à l'école, devait-elle bientôt déclarer. Si tu savais ! La classe commence à huit heures et se termine à quinze heures. Ensuite, nous nous promenons, et mes camarades sont adorables ! Elles m'ont tout de suite adoptée.

Sur un ton alerte, Astrid racontait par le détail ses journées à sa mère et son caractère doux et timide faisait alors place à une gaîté spontanée et communicative.

— La seule chose qui m'ennuie vraiment, confiait-elle pourtant à Marthe, c'est de parler français sans cesse. Il y a aussi que les cours de littérature ne m'enchantent pas. Je ne parviens pas à aimer cette langue !

Or, le destin se chargea de libérer la jeune princesse. La situation financière de ses parents changea brusquement, leur fortune se trouvant presque anéantie lors de la faillite d'une banque danoise, la Landmandsbanken. La Suède elle-même subissait alors une grave crise économique, conséquence tardive de la Première Guerre mondiale. Le prince Charles fut contraint de vendre son palais à une légation étrangère et il installa sa famille dans un vaste appartement de deux étages, dans le quartier de Villagatan. Cependant, il put conserver la petite propriété de Fridhem.

Cette nouvelle existence était loin de déplaire à Astrid qui, depuis sa plus tendre enfance, appréciait les joies simples et redoutait la vie mondaine. Souvent, elle se promenait avec une amie le long des rues commerçantes de Stockholm où elle admirait les robes exposées en vitrine, en marchant d'un pas vif sur les trottoirs de la *cité entre-les-ponts*, là où le passé frémissait, par une sorte d'enchantement qui se dégageait des anciennes demeures aux pierres si riches en souvenirs.

Les légendes ressuscitaient dans ces décors poétiques et toutes les jeunes filles de Suède contemplaient les eaux limpides du lac Mälar en songeant avec nostalgie à la belle ondine qui aurait offert à ces paysages fascinants leur clarté et leur attrait mystérieux, une légende parmi tant d'autres, mais peut-être la plus touchante quant à l'histoire de Stockholm, la ville qui attire.

Astrid aimait les sorties en plein air et, quand elle regrettait trop les allées de Fridhem et la campagne environnante où la forêt venait jusqu'aux portes des domaines, elle s'adonnait à ses excursions favorites, qui comblaient son besoin de mouvement et ses désirs de se laisser emporter par ses rêves. Elle visitait ainsi le manoir de Kalmar, un très vieux logis où la reine Marguerite aurait jadis regroupé sous sa seule couronne la Norvège, le Danemark et la Suède, aux temps lointains du moyen-âge. Parfois, aussi, le château de Gripshom l'accueillait, où l'on pouvait contempler de remarquables galeries de portraits.

Mais le site le plus envoûtant, celui que préférait la jeune fille, c'était, bien sûr, Visby, l'étrange cité où des rosiers centenaires avaient envahi les ruines, créant là une atmosphère singulière qui séduisait les artistes comme les profanes. La mère spirituelle du petit Nils Holgersson, Selma Lagerlöf, venait y rêver elle aussi ; elle s'y imprégnait du parfum des fleurs et de la mélancolie des pans de mur à demi dressés, comme soutenus par les fortes tiges d'une végétation toute puissante. Peut-être y avait-elle trouvé l'inspiration pour écrire *La saga de Gösta Berling,* dont Astrid était une fidèle lectrice. La jolie princesse au sourire radieux se plaisait dans ces lieux romantiques, comme cette femme, écrivaine de génie qui avait dit un jour de la plus jeune des filles du Prince bleu :

— C'est une enfant aussi pure et innocente que la blancheur de la neige.

❦

En 1924, alors qu'Astrid avait dix-neuf ans, la princesse Ingeborg lui avait conseillé de suivre des cours dans un institut de puériculture. Là, plus de leçons de français. Des bébés attendaient les jeunes élèves et, devant ces minois attendrissants, on oubliait sa timidité pour s'occuper avec des gestes maternels des poupons confiés à ses soins.

Astrid trouvait beaucoup d'attraits à ces activités très féminines et le contact des enfants l'aidait à révéler une autre facette de son caractère, l'humour.

— Regardez toutes, monsieur La Tour va s'endormir. Il a fini de s'agiter !

Ses compagnes riaient de bon cœur à la vue du gros bébé qu'Astrid avait surnommé ainsi parce qu'il avait de bonnes joues colorées ; et tout le monde à Stockholm connaissait la tour de l'hôtel de ville, une construction massive de briques rouges.

Souriante, douce et attentive, la jeune princesse se penchait sur les petits lits pour mieux observer les nourrissons. Chacun d'eux l'intéressait, dévoilant déjà un peu de sa future personnalité.

— Oh ! Attention ! Celui-ci va faire un rapport au docteur !

Mais une caresse légère accompagnait ces moqueries inoffensives. Astrid s'avérait une élève sérieuse et humble, répondant ainsi à la volonté de ses parents.

— L'éducation de nos filles est partie de ce principe qu'avant tout elles devaient être des êtres bons et, seulement après, des princesses. Elles devaient s'habituer à être traitées comme tous les autres enfants, apprendre à être obligeantes et à traiter elles-mêmes les autres personnes de la même façon, celles d'en haut comme celles d'en bas.

Ces paroles du prince Charles illustraient parfaitement l'attitude d'Astrid et de ses sœurs, qui étaient naturellement d'une simplicité touchante et toujours prêtes à aider ceux qui les entouraient ; elles ignoraient l'arrogance et la prétention ; si elles étaient élégantes et conscientes de leur rang, c'était sans aucune ostentation.

Un matin, Astrid se présenta à l'école ménagère de Jenny Akerström-Södetström, où elle désirait suivre des cours d'art culinaire. Cette perspective l'enchantait, car la jeune princesse était très gourmande et, depuis des années, elle adorait l'ambiance chaude des cuisines, un endroit magique qui l'attirait irrésistiblement et où, petite, elle se glissait souvent pour écouter ronfler le feu en s'enivrant des odeurs délicieuses qui se dégageaient des casseroles.

— J'écoute venir toutes les bonnes choses ! disait-elle.

Ce mot d'enfant avait jadis fait le tour du palais et, maintenant, c'était au tour d'une grande jeune fille aux boucles châtain de s'initier à la cuisine, de la confection des gâteaux à la crème, des soupes de légumes ou des sauces, aux corvées de pommes de terre dont l'épluchage fastidieux ne la décourageait même pas.

Ses sœurs aînées avaient laissé une telle réputation de perfection en quittant cette école ! Astrid espérait au moins les égaler. Aussi redoublait-elle de bonne volonté. Or, elle avait d'excellentes dispositions dans ce domaine, si bien qu'après son séjour, on publia un

Livre de cuisine des Princesses où figuraient de nombreuses recettes nées de l'esprit inventif d'une élève de sang royal ayant, comme les autres jeunes filles, appris à râper des carottes ou à choisir un céleri au marché.

Pour la récompenser de ses succès appréciables, la princesse Ingeborg lui avait transmis un secret de famille, le secret de la tarte aux cerises que les princesses danoises se confiaient de génération en génération.

5

Margarett était fiancée. Cette grande sœur bien aimée resplendissait d'une joie grave et le château de Fridhem ressemblait à une ruche en pleine effervescence. Dans le salon, on cousait le trousseau de la future mariée et des bouquets ornaient les tables, tandis qu'un air de piano, léger comme un frisson de source, rythmait l'allégresse générale, éveillant chez ceux qui l'écoutaient des rêves très doux où l'amour tenait la plus grande place.

C'était Astrid qui jouait, *Frühlingsrauschen* de Sinding, *Gazouillement du printemps*, un morceau difficile, mais d'un tel charme qu'on pardonnait facilement quelques erreurs à celle qui prenait le risque de l'interpréter.

Marthe levait souvent le nez de son ouvrage, distraite. Elle songeait à un mystérieux personnage, l'homme qu'elle avait choisi et dont elle parlerait un jour à ses parents, préférant l'aimer encore en secret; elle appréciait cette attente patiente où l'absence renforçait des sentiments déjà profonds. Il se nommait Olav de Norvège; c'était le prince héritier du royaume et il l'aimait aussi.

Installée à son bureau près de la porte-fenêtre, la princesse Ingeborg écrivait à ses proches parents. Ses filles étaient à présent des femmes ravissantes dont l'équilibre autant moral que physique lui donnait toute satisfaction.

— Vous devez décider seule de celui qui deviendra votre époux. Le plus important est de l'aimer. En outre, vous devez apprendre qui vous êtes l'un et l'autre avant de vous unir pour la vie.

En mère attentive, elle leur avait souvent répété ce genre de choses, soucieuse d'éviter à ses filles un mariage de convenance, dont elle-même aurait pu souffrir il y avait des années.

— Je me souviens parfaitement du premier tête-à-tête que j'ai eu avec votre père après le repas de fiançailles… Je discutais avec un inconnu, un étranger qui allait devenir mon mari, et cette évidence me désolait. J'avais un peu peur !

Mais Margarett ne craignait rien de tel. Son bonheur était évident et ses plus grands soucis demeuraient les mille et un détails de sa toilette de noce ainsi que la façon dont elle porterait le voile de dentelle, un voile qui avait appartenu à des reines, une merveille de finesse et de beauté.

Astrid l'effleurait d'un doigt timide en admirant sa sœur aînée qui se drapait en riant dans une somptueuse étoffe de couleur ivoire, puis elle retournait au piano, silencieuse, en proie à une étrange émotion.

Un jour, elle aussi serait parée de ces dentelles et revêtue de blanc ; elle quitterait sa famille pour suivre l'homme aimé. Et cet homme existait. Il vivait ailleurs, peut-être loin de là, peut-être en Suède même. Ils ne se connaissaient pas encore, mais elle était persuadée que le destin saurait les réunir en temps voulu.

Elle rêvait de lui, sans se demander un seul instant s'il serait prince ou roi, car ses attributs n'avaient pour elle aucune espèce d'importance. Il serait son époux à jamais, celui à qui elle donnerait son cœur ainsi que son âme droite et sereine, pour l'aider et le rendre heureux. Elle marcherait en sa compagnie sous les sapins de la forêt, ils allumeraient un feu le soir et discuteraient près de la cheminée, ils se pencheraient ensemble sur un berceau… Ils auraient une vie paisible de couple, une vie simple, mais harmonieuse, avec ses problèmes et ses joies.

La nièce du roi de Suède n'avait pas d'autres ambitions et elle ne s'en cachait guère, révélant ses idées sur la question avec un adorable sourire, un regard tendre, mais volontaire.

— Je l'aimerai beaucoup, celui que j'épouserai. Je l'aimerai de toutes mes forces. Qu'importe le reste ?

Margarett dévisageait sa sœur d'un œil malicieux, puis elle reprenait sa broderie en songeant au prince Axel de Danemark, un lointain cousin, son fiancé et bientôt son mari.

— Astrid, j'aime sincèrement Axel et j'espère que tu rencontreras toi aussi un vrai Prince charmant, comme dans les contes de notre enfance. Tu te souviens ?

— Oui ! Mais je voudrais surtout qu'il aime pêcher les écrevisses et faire de la luge, ou du ski.

Elles riaient doucement. Leur mère les regardait avec indulgence et Charles, le benjamin de la famille devenu un grand adolescent de quatorze ans, leur proposait une partie de tennis.

Le salon se vidait, alors que des silhouettes gracieuses couraient dans une allée du parc : Fridhem, la maison de la paix !

Si on s'éloigne un peu des rivages qui bordent la Suède en direction du sud, les eaux froides de la mer Baltique nous conduisent le long des côtes du Danemark et, de là, en gagnant la Mer du Nord, en

Hollande, puis en Belgique, ce petit pays gouverné par le Roi-Chevalier, ou Roi-Soldat, Albert 1er, le héros cher au cœur d'Astrid.

À l'époque où se situe notre récit, le fils du roi, Léopold, revenait d'un voyage au Congo. Auparavant, il avait parcouru les États-Unis, l'Égypte et le Brésil. L'intrépide petit soldat de quinze ans était devenu un homme, doué d'une force physique étonnante, maître de lui en toutes circonstances, et d'un caractère simple où la bonté s'alliait à l'intelligence. Attiré par les sciences exactes, il faisait aussi preuve d'une grande charité à l'égard des humbles et des malheureux.

Cinq ans plus tôt, un de ses amis, Alfred Willemart, l'avait accompagné en Suisse et en Italie. Là, le jeune prince qui avait comme son père la passion de l'alpinisme s'était lancé à l'assaut des montagnes, entreprenant des ascensions périlleuses, comme celle du Finsterharhorn, haut de 4274 mètres.

Quel appel mystérieux guide les hommes qui montent ainsi vers les cimes au mépris du danger ? Des spectacles uniques les y attendent ; le ciel y est d'une rare pureté, l'air, glacé, et une douce sérénité se dégage de ces solitudes paisibles, loin du monde et de ses tourments. Léopold ressentait-il tout cela ? Sans doute, car, un jour, ce prince épris de perfection écrirait les mots suivants :

Nous voulons fuir nos villes trépidantes avec leurs maisons opaques, leurs rues bruyantes, leurs magasins et leurs usines. Nous nous y sentons comme emprisonnés. Nous appelons l'air pur, la lumière, l'espace, la terre, l'eau et la verdure. Nous prétendons nous y mouvoir, débarrassés de toute entrave.

En janvier 1926, lors de son retour d'Afrique, choqué par ce qu'il avait vu là-bas, Léopold avait pris la parole lors du congrès colonial pour dénoncer le déplorable état sanitaire de la population, « une mortalité excessive, celle des enfants étant effrayante » ! Son séjour, d'une durée de sept mois, lui avait fait prendre conscience des nombreux problèmes à résoudre ; il s'était entretenu avec les indigènes, ayant appris le lingala, et il souhaitait sincèrement trouver les solutions appropriées.

Grand, le teint doré et les yeux d'un bleu limpide, le jeune prince aux boucles blondes avait la réputation de ne pas savoir sourire. Sa mère se désolait, sachant qu'il menait une vie un peu triste pour son âge, et elle se mit une nouvelle fois en quête de l'épouse idéale. Déjà, trois ans auparavant, Albert et Élisabeth avaient passé le mois de septembre en Italie, près de Turin, à Racconigi, dans la propriété des souverains de ce pays. Le roi Victor-Emmanuel présidait les repas.

Mais la reine était demeurée au chevet de ses filles, les jeunes princesses Mafalda et Giovanna, qui étaient victimes d'une très grave fièvre typhoïde. Les médecins osaient à peine se prononcer, jugeant leur cas presque désespéré. Aussi, Léopold ne les avait-il pas vues une seule fois. Il en avait été attristé et il avait confié sa déception à sa sœur Marie-Josée. La famille royale avait dû repartir pour la Belgique sans projet de fiançailles, mais assez inquiète pour les malades, qui devaient pourtant se rétablir rapidement, à la grande joie de leurs parents.

Après avoir ainsi cherché une fiancée de l'autre côté des Alpes, Élisabeth décida de faire avec son fils un petit voyage en Scandinavie. Avant de mourir, le cardinal Mercier avait parlé des princesses de Suède, de leurs mérites et de leurs qualités, sur la foi des renseignements qu'il tenait de son ami l'archevêque luthérien Söderblom.

Ils iraient donc à Stockholm, *la ville-sur-l'eau*, en compagnie de Ghislaine de Caraman-Chimay, dame d'honneur de la reine. Ils se présentèrent au Grand Hôtel sous le nom de monsieur et madame de Réthy. Léopold emprunta le prénom de Philippe pour donner le change. Bien sûr, ils ne prirent pas ces précautions auprès de la famille d'Astrid.

Le jour où lui et sa mère se présentèrent chez le prince Charles et la princesse Ingeborg, le jeune homme était plus qu'ému. On lui avait tant parlé de Marthe, une ravissante brune aux yeux bleus, et surtout de la jeune Astrid, «belle et discrète», pour qui Élisabeth de Belgique avait une secrète préférence.

D'une gaîté charmante, cette petite femme mince et vive qui vivait un grand amour avec son mari le Roi-Soldat espérait beaucoup de cette visite. Son fils méritait de rencontrer l'âme sœur, de connaître le même bonheur qui faisait d'elle et de son époux un couple sincèrement uni, sur lequel le temps n'avait guère d'emprise.

6

— Un peu de thé ?

— Oui, volontiers…

Astrid s'était exprimée en français, cette langue qui lui avait toujours posé quelques problèmes, et Léopold avait souri, charmé par son accent mélodieux. Marthe et sa sœur cadette devaient servir le thé et elles s'occupaient de ces hôtes exceptionnels avec beaucoup de grâce et de féminité.

La princesse Ingeborg discutait avec la reine Élisabeth des péripéties du voyage, mais toutes deux ne pouvaient s'empêcher d'observer discrètement les jeunes gens dont l'avenir était pour l'instant leur principal souci.

— Oh ! Pardonnez-moi, je suis vraiment désolée !

Astrid venait de renverser du thé brûlant sur le pantalon de Léopold et, confuse de sa maladresse, elle ne savait quelle attitude adopter. C'était inévitable ; depuis qu'il était entré dans le salon, elle éprouvait une grande nervosité et ses gestes s'en faisaient maladroits ; ses mains tremblaient et un incident de ce genre devait arriver.

Le prince héritier de Belgique l'assura que ce n'était rien et il continua à la regarder, son cœur battant d'une joie nouvelle qui le déconcertait. Cette grande jeune fille au teint laiteux et aux yeux si clairs achevait de le conquérir avec des atouts bien inattendus. Il aimait sa timidité, son manque d'assurance et ses façons émouvantes de sourire comme de parler, ainsi que sa manière de dévisager ceux qui l'entouraient en adoptant un air très tendre. Astrid représentait celle qu'il cherchait depuis longtemps et son séjour à Stockholm eut aussitôt un parfum de rêve et d'aventure.

La maison du prince Charles ferma ses portes à ses visiteurs habituels et très vite des rumeurs circulèrent, agrémentées des suppositions les plus farfelues. Les domestiques se demandaient qui était ce Philippe de Réthy, qui étaient les femmes qui l'accompagnaient et surtout quel impératif dictait à la famille de la Princesse Ingeborg sa conduite insolite.

En effet, beaucoup de citadins avaient eu l'occasion de croiser Astrid dans les rues marchandes ou de la rencontrer sur un terrain de sport en compagnie de sa sœur Marthe ou d'une amie issue d'un milieu très ordinaire, car les nièces du roi de Suède et leurs parents avaient toujours vécu simplement, sans grand souci du protocole. Mais, là, on devinait un mystère et, assurément, il était lié à ces étranges visiteurs.

En vérité, on prenait le temps de faire connaissance, de bavarder de tout et de rien après un bon dîner. La reine Élisabeth découvrait la cuisine suédoise et son fils tentait d'apprivoiser la modeste Astrid, qui se contentait d'esquisser des sourires polis en écoutant sagement les souvenirs d'enfance que Léopold lui racontait.

— Un jour, pendant un défilé, alors que je n'avais que quatre ans, je me suis amusé avec les décorations d'un respectable ministre. Il paraît que je ne tenais pas en place. Je ne voulais pas rester sur mon fauteuil et la foule riait de mon agitation.

Ainsi, il était devant elle, ce jeune héros dont Marthe lui avait vanté le courage lors de l'atroce conflit qui avait déchiré l'Europe plusieurs années auparavant, déjà. Astrid se souvenait des photographies où il se tenait si droit sur son cheval, derrière son père Albert 1er. Adolescente, elle s'était attardée sur ces images sans penser un instant qu'un jour lointain ce vaillant soldat serait assis près d'elle, une tasse de thé à la main, sous l'œil bienveillant de toute sa famille…

Pour sa part, elle le jugeait d'une gravité aimable et d'une beauté surprenante. Il ressemblait en fait à un personnage de légende, de ces anciennes légendes qu'elle affectionnait, dénuées de mièvrerie, où des guerriers aux cheveux blonds affrontaient sans faiblir de dures épreuves.

Hélas! le séjour de Léopold et de sa mère allait s'achever et, si les deux familles pressentaient d'éventuelles fiançailles, rien n'avait été décidé. Le soi-disant Philippe de Réthy quittait la cité de Stockholm, mais la jeune princesse, un peu triste, se consolait en songeant qu'il reviendrait. Car il était invité à Fridhem pendant l'été; là-bas ils apprendraient à mieux se connaître. Elle pourrait lui parler de ses joies d'enfant et évoquer de nouveau pour lui la ville des ruines et des roses, l'antique cité de Visby, située sur l'île de Gotland.

Cette cité, Selma Lagerlöf avait su l'intégrer à merveille dans un des chapitres du *Merveilleux voyage de Nils Holgersson à travers la Suède*. C'était par ce récit qu'Astrid avait tout d'abord pris contact avec le lieu magique, à l'époque où Marthe leur faisait la lecture, à elle et au petit Charles. À son tour, elle en avait raconté au prince Léopold l'épisode qu'elle préférait.

«Cela se passe il y a très longtemps, à l'époque où les îles situées entre le lac Mälar et la Baltique étaient encore inhabitées. Un soir, un pêcheur surpris par la nuit accosta à l'un des îlots et s'y endormit. Quand le clair de lune le réveilla, il vit sur la plage une bande de phoques qui sortaient tout juste de l'eau. Vite, il courut à sa barque chercher son épieu, mais, lorsqu'il revint, les animaux avaient disparu et, à la place où ils se tenaient une minute auparavant, de belles jeunes filles dansaient, vêtues de longues robes de soie verte et coiffées d'une couronne de perles.

C'étaient des ondines venues de la mer, qui se cachaient sous l'aspect d'animaux marins pour voyager. Le pêcheur les contempla rêveusement. Il réussit à leur voler une de leurs peaux de phoque, qu'il dissimula sous une pierre. À l'aube, une des ondines ne put repartir avec ses sœurs. Désespérée, elle accepta l'aide du pêcheur et le suivit chez sa mère, où elle s'intégra à leur vie humble en se montrant gaie et serviable.

Quand le pêcheur lui demanda de l'épouser, elle en fut très heureuse ; elle revêtit pour l'occasion sa robe verte et sa couronne de perles. Mais son fiancé eut la mauvaise idée de lui raconter comment il avait dérobé et caché sa peau de phoque. Comme la jeune fille hésitait à le croire, ils retournèrent sur l'île. Là le pêcheur lui montra en riant la preuve de son forfait. L'ondine s'en empara et, avant qu'il ait eu le temps de la rattraper, de nouveau changée en phoque, elle plongea dans les eaux du large fleuve et s'éloigna en nageant.

Furieux d'être abandonné, le fiancé eut un geste de désespoir : il lança son épieu vers la fugitive. Il y eut un cri de douleur. L'ondine avait disparu, blessée à mort. Mais, après quelques instants, le pêcheur vit l'eau briller d'un éclat nacré et métamorphoser les rives qu'elle battait de ses flots. Le pêcheur comprit ce qui s'était passé. »

Et Astrid lui cita de mémoire un passage de cette histoire fantastique.

— *Les ondines ont en elles quelque chose qui les fait paraître plus belles que toutes les autres femmes. Le sang de l'une d'entre elles s'étant mêlé aux vagues, sa beauté illuminait le paysage : désormais ces rives héritaient du pouvoir d'inspirer de l'amour à tous ceux qui les contemplaient et de les attirer par une sorte de nostalgie.*[6]

Malgré son penchant pour les sciences exactes, Léopold avait vite cédé au charme de ce récit fantastique aux images teintées d'une poésie naïve. En ce jour ensoleillé de juin, il devait s'avouer irrésistiblement

---

6. Extrait du *Merveilleux voyage de Nils Holgersson à travers la Suède,* de Selma Lagerlöf.

charmé par Stockholm et la campagne environnante. Il prêtait sans doute à l'ondine de la légende le doux visage de la princesse Astrid de Suède.

7

— La voiture devrait arriver ! Maman, quelle heure est-il ?

Ce matin-là, Astrid se montrait d'une nervosité extrême. Elle s'était levée à l'aube pour choisir une robe de circonstance, jolie, mais simple, en accord avec la nature resplendissante de ce début d'été. Les arbres du parc lui semblaient si beaux et les pelouses d'un vert si lumineux ! En ouvrant la fenêtre de sa chambre, la jeune princesse avait eu envie de chanter sa joie. Le ciel d'un bleu limpide la charmait, alors que la moindre fleur devenait une promesse de bonheur et de tendresse.

Maintenant, elle attendait dans le salon. Elle allait d'un grand miroir où elle étudiait son reflet d'un œil inquiet à la porte vitrée donnant sur le jardin, celle d'où l'on apercevait le mieux l'allée principale. Bientôt un visiteur serait là, et cette idée la bouleversait. Son cœur battait si vite qu'elle se moquait un peu d'elle-même.

Sa mère, pourtant attendrie, l'observait en esquissant un sourire malicieux.

— Comme tu es émotive, Astrid! Tu dois essayer de te dominer. Si tu avais à mener une vie publique, à assurer des fonctions importantes… Nous avons eu tant de mal, ton père et moi, à te guérir de ta timidité! Tu te souviens, tu pleurais souvent sans raison sérieuse, si bien qu'une de tes camarades d'école avait toujours un mouchoir de rechange à ton intention. Comment se nommait-elle, déjà? Elle était très gentille…

— C'était Lisa Virgin, maman, je ne l'ai pas oubliée, tu sais! Mais, je t'en prie, ne raconte pas cette histoire à notre invité.

L'invité en question n'était autre que Léopold, le prince héritier de Belgique. Mais les domestiques de Fridhem ignoraient encore sa véritable identité et ils se préparaient à recevoir Philippe de Réthy, un monsieur dont ils avaient déjà beaucoup entendu parler, de sorte que cette visite les intriguait. Le majordome se perdait en conjectures et la cuisinière hochait la tête, persua-dée que ce jeune homme était un éventuel fiancé, celui de leur chère Astrid, évidemment.

De toute façon, il suffisait de regarder la jeune princesse. Elle était transfigurée, aussi fraîche que les roses des massifs, ces fleurs au parfum délicat qui ornaient la maison tout entière grâce aux mains légères de la princesse, qui aimait se charger de cette tâche, à son goût la plus agréable parmi celles qui concernaient la bonne tenue d'un foyer.

Enfin la voiture tant attendue arriva et Léopold découvrit avec émotion une façade claire aux nombreuses fenêtres, des pelouses ensoleillées et de grands arbres majestueux offrant une ombre douce à des allées que l'on devinait paisibles et qui invitaient à de longues promenades. Astrid avait passé là tant de jours heureux ! Il avait hâte tout à la fois de la revoir et de connaître cet endroit accueillant.

Il avisa une silhouette devant la porte-fenêtre ; une jeune fille se tenait là, en robe claire, les bras nus et un mince collier de perles au cou, une apparition si gracieuse qu'il crut rêver. Pourtant c'était bien elle. Sa mère venait de la rejoindre et Astrid lui adressait de la main un signe joyeux d'une simplicité désarmante qui acheva de le séduire.

Ce fut le début d'un séjour idyllique pour toute la famille. L'ambiance chaleureuse qui régnait chez le prince Charles y contribua grandement. Les parties de tennis succédèrent aux randonnées en forêt, les repas furent l'occasion de discussions amicales, comme les goûters servis sous un gigantesque tilleul dont l'ombre tiède donnait au teint d'Astrid une roseur émouvante.

Si elle appréciait la compagnie de Léopold, la jeune princesse restait discrète et prudente, évitant la plupart du temps de se retrouver seule avec lui ; lorsque les circonstances ne le lui permettaient pas, elle gardait une attitude distante qui la protégeait de certaines déclarations.

Heureusement la forêt suédoise se révéla une complice inattendue, car Léopold accompagnait fréquemment Astrid à la chasse. Ils partaient tous les deux dans une voiture décapotable et roulaient doucement sur de petites routes tranquilles. Une fois à destination, ils marchaient sous les sapins en suivant des sentiers bordés de bruyère, mais ils utilisaient rarement leurs fusils, puisqu'ils oubliaient d'emporter des cartouches, un détail qui étonnait vraiment un des gardes de la propriété…

En vérité, ni l'un ni l'autre n'avait envie de troubler la sérénité de la nature. Ils préféraient échanger des confidences et comparer leurs souvenirs ou leurs espoirs. Léopold parlait de son pays et de son père pour qui il éprouvait une admiration profonde, alors que la princesse lui dévoilait ses secrets d'enfant, tel le nom de sa poupée favorite, Inge aux yeux bleus, ou bien elle le faisait rire en évoquant la pêche aux écrevisses, son penchant pour la bonne cuisine et ses talents en ce domaine.

La présence de ce mystérieux personnage ne passait pas inaperçue et, comme à Stockholm, des familiers de Fridhem s'interrogeaient en vain. Qui pouvait-il être et d'où venait-il ?

Si la princesse Ingeborg recevait d'autres hôtes, il ne se montrait pas et personne ne mentionnait son existence. On murmurait même qu'il s'était installé dans une petite mansarde isolée quand le prince Charles avait accueilli quelques jours un célèbre architecte. Le soi-disant monsieur de Réthy utilisait alors une porte de service pour sortir se promener et les domestiques ne comprenaient plus rien.

Le facteur se posait aussi des questions qui demeuraient sans réponse : le jeune homme envoyait des lettres libellées en français, alors qu'il parlait anglais avec les princesses suédoises, un anglais où se décelait un accent étranger.

— C'est bizarre ! se disait le brave homme en soupirant.

Ce qui ne changeait pas les habitudes de cet invité extravagant, qui semblait plaire chaque jour davantage à la jolie Astrid.

Un soir elle s'approcha de sa mère et lui dit en rougissant :

— Ai-je bien les qualités et la force qu'il faut pour être reine ?

Des doutes la prenaient lorsqu'elle songeait qu'elle était peut-être promise à un avenir très différent de celui de ses rêves d'adolescente. Elle s'était toujours sincèrement attendue à épouser un homme sans rang et à mener avec lui une vie ordinaire, où la seule chose importante serait l'amour qui les unirait. Jamais elle n'aurait imaginé qu'elle deviendrait reine, et cette perspective nouvelle l'impressionnait beaucoup.

La veille, Léopold et elle avaient marché longtemps dans le parc en suivant les allées d'un pas tranquille. Elles avaient visité la maisonnette où, petite fille, Astrid avait fait son apprentissage des travaux ménagers. Le ciel était d'un bleu pâle et des oiseaux volaient très haut, cherchant peut-être un asile sur les berges d'un lac ou sous la ramure légère d'un bouleau. Les feuilles des arbres, l'herbe des talus, la mousse couvrant les racines, toutes ces choses familières attendrissaient le cœur d'Astrid. Son pays natal semblait chuchoter des mots doux et des encouragements joyeux. Tout ce qu'elle voyait se parait d'une beauté nouvelle ; aussi avait-elle compris qu'elle éprouvait un amour fervent pour son compagnon de promenade, l'amour dont elle avait tant rêvé, en fait.

Léopold avait sans doute deviné son trouble, car il avait décidé à cet instant précis de lui avouer qu'elle avait eu le don de l'enchanter, qu'il l'aimait depuis des mois et qu'il la voulait pour femme sa vie durant.

— Avec vous, je me sens si heureux! La moindre chose devient amusante. Votre voix est si claire, vos yeux, si tendres!

Astrid ne savait plus ce qu'elle devait dire ou ne pas dire. Le regard bleu du prince ne la quittait plus. Il se faisait implorant, la bouleversant corps et âme. Soudain elle s'était précipitée dans ses bras et l'avait étreint avec une fougue maladroite, tandis que, fou de bonheur, il hésitait à comprendre. Ils avaient vécu là un de ces moments inoubliables dont le souvenir ne vous abandonne jamais, même après des années.

— Ai-je bien les qualités et la force qu'il faut pour être reine? demandait donc Astrid à sa mère.

La princesse Ingeborg prit les mains de sa fille dans les siennes et, en la regardant gravement, lui dit des paroles de réconfort destinées à la rassurer et à l'aider. Astrid devait prendre sa décision et choisir son destin.

— Tu es trop modeste, Astrid, tu ne dois pas te mésestimer. Je suis sûre que tu sauras te montrer digne de ton futur mari et que tu as toutes les qualités requises pour gouverner.

Le prince Charles approuva son épouse et embrassa affectueusement cette grande jeune fille désemparée, ce *cadeau du ciel* qu'il allait bientôt confier à un autre homme, mais un homme courageux, loyal et bon. Léopold et Astrid seraient heureux, il en avait la certitude, ce qui le consolait un peu. Car quel père n'aurait pas souffert en songeant qu'une de ses enfants allait partir un jour prochain, que sa chambre serait vide, que le piano deviendrait muet et qu'on guetterait avec impatience ses lettres ou ses visites ? Pourtant, il devait faire en sorte que la séparation ne soit pas pénible, car, trop sensible, Astrid en aurait été attristée.

Le bonheur des jeunes gens réjouissait tout leur entourage… excepté les domestiques de Fridhem, qui avaient entendu quelque chose d'incroyable, une rumeur annonçant les fiançailles de la jeune princesse et du prince héritier Léopold de Belgique, le duc de Brabant, selon son titre officiel. Il y avait eu un vrai murmure d'indignation allant des couloirs aux cuisines.

— Ce n'est pas possible ! Et ce pauvre monsieur de Réthy, alors ! Notre Astrid semblait pourtant l'aimer beaucoup !

Le majordome haussait les épaules sans se permettre aucun commentaire, mais ses traits exprimaient une vive consternation : monsieur Philippe lui était sympathique et il se désolait en imaginant la déception du jeune homme.

Pourtant personne à Fridhem ne démentait l'étrange nouvelle, et Astrid manifestait toujours un vif intérêt pour son hôte : il fallait rétablir la vérité rapidement pour éviter que les ragots ne se répandent. Dès que ce fut fait, il n'y eut plus aucun problème et la joie fut générale. La princesse elle-même était radieuse. Elle riait sans cesse, enfin affranchie de l'air mélancolique et rêveur qui la caractérisait.

On la vit même repeindre la grille du jardin d'été avec sa mère et le duc de Brabant. Ils se livraient ainsi à des occupations bien banales qui les amusaient. À moins que ce ne fût une joie trop vive qui changeait la moindre de leurs activités en une petite fête… Ils l'ignoraient l'une et l'autre.

Le lendemain Léopold repartait loin de la Suède, de l'autre côté de la mer. Là-bas il attendrait impatiemment Astrid entre les murs séculaires de Ciergnon, un vieux château. Le Roi-Soldat et son épouse Élisabeth l'avaient en effet invitée à y passer quelques jours de vacances, heureux de l'accueillir dans une des plus belles régions de leur patrie, les Ardennes belges.

8

Astrid découvrait les paysages de Belgique. Au sud-est de la Wallonie, le château de Ciergnon se dressait au milieu d'une région sauvage où de profondes vallées entaillaient le massif de l'Ardenne, la partie la plus haute du pays et sans doute la plus belle, avec ses sombres forêts de sapins, ses ruisseaux et ses rivières dont le cours tortueux traversait des prairies paisibles ou des sous-bois lumineux.

La forêt ne ressemblait pas à la forêt suédoise, plus clairsemée, moins dense, où les troncs blancs des bouleaux et leur feuillage argenté ajoutaient une touche de gaîté. Ici, les essences d'arbres étaient nombreuses et variées ; le hêtre et le chêne se côtoyaient, alors que les frênes s'élançaient vers le ciel, près des peupliers et des tilleuls. Les sapins aussi paraissaient différents ; serrés les uns contre les autres, touffus et d'un vert intense, ils s'accrochaient avec ténacité aux rochers ainsi qu'aux pentes abruptes des failles, et leur domaine restait mystérieux, presque interdit au promeneur.

Léopold vantait à la jeune fille les charmes de la région, car, un jour, Astrid serait la reine de ces contrées, des Ardennes aux dunes de Flandre, de Liège à Anvers. Il souhaitait lui faire connaître ainsi l'histoire de son pays et il parlait avec enthousiasme des sites qu'ils visitaient.

Le roi Albert et sa famille aimaient beaucoup leur vieille demeure de Ciergnon et ils étaient heureux d'accueillir Astrid dans ce lieu tranquille, loin des obligations de leur charge royale. Une atmosphère détendue régnait. Le souverain portait des tenues de campagne et il faisait des randonnées en forêt. La jolie princesse suédoise ne pouvait que se réjouir de son séjour, puisqu'elle avait depuis l'enfance le même goût de la nature et des joies simples.

Quant à Léopold, éperdument amoureux, il était méconnaissable. Sa bonne humeur frisait l'euphorie et il s'attirait les plaisanteries de Charles, son frère cadet.

— Mon frère vient d'inventer le mariage !

Ces mots moqueurs n'atteignaient pas l'optimisme de Léopold. La présence d'Astrid le comblait et, chaque jour, ils faisaient tous les deux de longues promenades, allant souvent marcher sur les berges de la Lesse, une rivière aux eaux transparentes.

— Regardez, Astrid, une truite! J'en ai pris de magnifiques ici. Je vous apprendrai à les pêcher, si cela vous amuse.

La jeune fille acceptait en riant. Tout lui semblait facile et charmant près de celui qu'elle aimait, car, maintenant, elle ne doutait plus de ses sentiments. Cette certitude la changeait; elle prenait de l'assurance et se montrait enjouée et serviable, ce qui achevait de conquérir sa future famille.

La reine Élisabeth ne cherchait pas à cacher la joie qu'elle éprouvait à l'idée de l'union à venir. Son fils était fou de bonheur et Astrid semblait elle aussi très éprise. Cet amour réciproque la ravissait, même si elle avait dans un premier temps un peu aidé le destin. Mais Léopold ne pourrait jamais lui reprocher le voyage en Scandinavie qui avait été à l'origine de cette merveilleuse romance. En effet, dès son retour de Fridhem, il avait confié à son précepteur:

— J'ai trouvé la jeune fille de mes rêves et ma joie est immense. Si vous saviez comme elle est jolie et quelles sont ses qualités! Elle les a toutes!

Le roi Albert aurait approuvé ces paroles, car il avait très vite éprouvé pour la jeune princesse une affection sincère. Il admirait autant sa grâce et son charme que ses qualités de cœur et d'esprit.

— Cette région est restée assez sauvage, malgré les vallées que creusent les rivières. Voyez, il y a la vallée de l'Ourthe et celle de la Lienne. Là-bas les toits des villages ont des reflets bleus. Ils sont recouverts d'ardoises.

Astrid écoutait sagement les discours en anglais de Léopold. Elle regrettait de ne pas avoir montré plus d'intérêt pour la langue française et elle avait hâte d'en reprendre l'étude, ce qui s'imposerait dès qu'elle habiterait à Bruxelles.

Léopold s'évertuait à lui présenter sa patrie, ce petit royaume qu'il gouvernerait un jour. Sans doute désirait-il aussi la préparer à sa future existence en Belgique et adoucir ce qui serait inévitablement pénible pour elle, à savoir le fait de quitter ses parents et la Suède, ce pays auquel tant de liens intimes l'attachaient.

Les fiançailles venaient d'être célébrées à Ciergnon, en famille, et les jeunes gens avaient fort apprécié cette simplicité. À la fin du repas donné en leur honneur, le Roi-Soldat leur avait dit :

— Mes enfants, j'espère de tout cœur que vous serez très heureux. Astrid deviendra pour nous une seconde fille à chérir. Je veux la remercier pour la douce influence qu'elle a déjà sur mon fils. Je suis persuadé qu'elle saura l'assister avec vaillance. C'est une compagne idéale que nous a envoyée la providence !

À présent, ils bénissaient ces heures tranquilles où le protocole n'existait plus et où ils oubliaient leurs rangs respectifs, se contentant d'échanger des regards amoureux et de se tenir la main quand ils se promenaient dans le jardin. Émue, Astrid rougissait un peu, alors que son fiancé posait sur elle ses grands yeux bleus où se lisait toute sa gratitude. Au grand regret de ses parents, Léopold avait toujours été d'un caractère impatient et inquiet ; désormais, il aurait près de lui cette jeune femme généreuse dont le calme souriant l'apaiserait et le rassurerait. Il n'avait plus peur de l'avenir.

Mais ils devaient affronter une nouvelle séparation. Astrid allait repartir vers Stockholm, tandis que la famille royale rentrerait à Bruxelles. Léopold promit à sa fiancée de la rejoindre le plus rapidement possible. Ils échangèrent un baiser discret, tous deux très pressés de se revoir.

Contrairement à l'usage, le roi Albert 1er ne prévint qu'à son retour dans la capitale le conseil des ministres belge du prochain mariage de son fils. S'il avait décidé d'agir ainsi, c'était afin de prouver que cette union princière se faisait en marge des considérations politiques. Pourtant l'annonce des fiançailles de Léopold et d'Astrid frappa beaucoup l'opinion publique et, au mois de septembre 1926, le roi Albert préféra expliquer lui-même aux journalistes que son fils se mariait par amour.

— La princesse Astrid est une jeune fille d'une grande culture et qui possède de grandes qualités de cœur. Elle a été élevée dans un pays démocratique comme le nôtre et elle n'aura aucune peine à s'adapter à notre vie nationale et à conquérir toutes les sympathies de notre pays. Les deux jeunes gens se sont souvent rencontrés, depuis six mois, et ils ont eu l'occasion de s'apprécier et de se connaître. C'est en toute liberté et en toute indépendance qu'ils ont pris l'un et l'autre la décision d'unir leur destinée. Cette union est un mariage d'inclination. Nous souhaitons que la princesse Astrid, que nous considérons déjà comme notre fille, soit également adoptée par la Belgique comme une princesse belge.

La reine Élisabeth ajouta en souriant :

— Messieurs, rien n'avait été préparé. C'est un mariage d'amour. Je serais heureuse que vous le disiez à notre peuple. Aucune considération politique n'a motivé la décision que nous venons de vous annoncer.

Et elle distribua aux journalistes la photographie d'Astrid. Quelques heures plus tard, Adolphe Max, le bourgmestre de Bruxelles, s'empressa de faire afficher sur les murs de la ville une proclamation qui annonçait les fiançailles officielles de Léopold, héritier du trône, et d'Astrid, princesse de Suède.

9

Dès le mois d'octobre, Léopold rejoignit sa fiancée à Stockholm. Il souhaitait profiter tranquillement des journées précédant le mariage civil et il tentait d'échapper, dans toute la mesure du possible, aux obligations du protocole.

Rien n'empêcha pourtant les deux amoureux d'attendre ensemble le jour de la cérémonie, dans une atmosphère idyllique où tout leur semblait magnifique et passionnant. On les voyait se promener dans les rues commerçantes de la capitale, Astrid tenant gentiment le bras de son prince charmant, ou bien ils visitaient les vieux quartiers de la cité-entre-les-ponts avant de traverser les grands jardins au bord du fleuve. Ils aimaient marcher ainsi en discutant gaiement, indifférents au froid vif d'un hiver précoce.

Enfin le calendrier afficha la date tant attendue du 4 novembre. Ce matin-là, beaucoup de gens se réveillèrent le cœur battant, pour des raisons aussi diverses que personnelles. Quant aux futurs époux, ils bénissaient les premières heures de ce jour qui resterait inoubliable, tandis que leurs parents échangeaient leurs impressions avec des sourires mélancoliques ou joyeux. Quant aux personnes chargées des diverses festivités ou de celles qui veillaient aux repas, elles s'inquiétaient des moindres détails. Il ne fallait pas qu'une seule fausse note vienne mettre une ombre sur la fête.

La famille royale belge n'était pas au palais depuis longtemps. Elle était partie d'Ostende sur une malle[7] dont le commandant n'était autre que le célèbre Gerlache qui, à la fin du siècle dernier, avait mené à bien l'expédition *Belgica*, en Antarctique. Le voyage avait été mouvementé ; la mer était déchaînée et, la nuit comme le jour, des vagues énormes avaient balayé le pont. Dans sa cabine, le roi Albert 1er écrivait pour sa fille Marie-Josée un court résumé de l'histoire de Suède, tandis que la reine Élisabeth, un peu songeuse, feuilletait un magazine en tentant d'oublier le vacarme de la tempête et les pénibles secousses qui agitaient le bateau. Le 2 novembre, ils étaient parvenus au large de Göteborg, le second port après Stockholm. De là, des torpilleurs de la marine suédoise les avaient escortés, parés des pavillons de bienvenue.

À terre, des photographes les attendaient, ainsi qu'un froid glacial – 15 °C au-dessous de zéro – et,

---

7. Bateau à vapeur.

dans la nuit tombante, la statue à cheval du grand roi Gustave-Adolphe, que de gigantesques flambeaux éclairaient malgré les rafales du blizzard. Puis le train royal, aussi bleu qu'un ciel d'été, les avait emmenés vers la capitale où toute la famille du roi Gustave les avait accueillis avec effusion. Des landaus de gala avaient traversé Stockholm en fête, conduisant ces hôtes illustres jusqu'à l'entrée du palais où des dames d'honneur vêtues de blanc et des chambellans en uniforme leur faisaient d'interminables révérences.

En vérité, un tel déploiement de fastes voulait donner à cette alliance entre les deux pays une portée solennelle et imposante, mais il célébrait surtout le mariage d'amour d'une princesse suédoise, nièce du roi régnant et enfant chérie de tout un peuple.

— Astrid était vraiment ravissante! Et, tu as vu, Charles, elle pleurait… Léopold paraissait gêné, mais ils étaient si charmants!

La princesse Marie-Josée commentait ainsi à l'intention de son frère leurs premières heures passées au palais; elle devait raconter plus tard avec beaucoup d'humour ces journées de liesse et d'émotion, souvent sources d'amusantes anecdotes, comme celle qui devait faire rire toute l'assistance lors du festin de noce et dont le Roi-Soldat fit le récit lui-même, bien qu'il en fût le « héros » involontaire :

— Ce matin, j'avais décidé de faire une petite promenade en ville. Il était tôt et j'ai marché d'un bon pas, une heure environ. Mais, quand je suis revenu au palais, ce n'était plus la même sentinelle, et elle refusait de me laisser entrer! Pourtant je devais me changer, mettre mon uniforme de cérémonie. Je risquais fort d'être en retard, mais j'avais beau répéter: «Je suis le roi des Belges!» ce brave garçon ne voulait rien entendre. J'ai tout essayé, je vous assure. D'abord le français, puis l'anglais et l'allemand, en vain! Enfin, j'ai tenté un peu de suédois, mais, là, il m'a sans doute cru fou. Cela le faisait rire. Je commençais vraiment à m'inquiéter. À force d'insister, j'ai convaincu la sentinelle d'appeler son officier qui, heureusement, m'a reconnu… Quelle aventure! Je n'aurais jamais dû sortir avec ce grand chapeau de quaker!

❦

— Marthe, je t'en prie, reste avec moi! Tu me diras ce qui ne va pas.

— Mais, Astrid, tu es merveilleuse, dans cette robe, et le voile est si beau! Tu devras seulement faire attention et marcher doucement.

Les joues roses d'excitation, les deux princesses arrangeaient les derniers détails de leur toilette.

Marthe souriait rêveusement; cette cérémonie lui permettait de revoir celui qu'elle aimait, Olav de Norvège, et, tout attendrie, elle contemplait sa petite sœur changée en une radieuse fiancée, parée de blanc et de fleurs à l'image des fées légendaires vêtues de neige et d'une dentelle de givre.

Mais, en ce jour exceptionnel, le voile était en dentelle de Bruxelles; la princesse Ingeborg l'avait porté vingt-neuf ans plus tôt. Selon les usages nordiques, une couronne de myrte le retenait sur la chevelure de la future mariée, tandis qu'une ceinture de fleurs d'oranger marquait la taille de la robe, une robe en crêpe de satin au corsage de dentelle.

Astrid osait à peine bouger et, pour calmer son anxiété, elle admirait la traîne longue de quatre mètres qui gisait à ses pieds, une splendeur ornée de roses, de perles argentées et de feuillages en soie rebrodée.

Elle pouvait affronter dignement et sans trembler la foule des invités, plus de mille deux cents personnes réunies au palais royal et, parmi eux, la reine de Danemark et le roi de Norvège, des princes, des princesses et toute la cour de Suède.

— J'ai peur, Marthe! confessa-t-elle pourtant. Léopold m'a avoué qu'il était très nerveux lui aussi!

— Tout ira bien ! Fais-moi un sourire et rejoignons maman.

Le mariage avait lieu dans la grande salle des États généraux, une pièce décorée de sculptures et aux moulures finement ciselées, dont les murs offraient des tons de pastel ancien où la couleur dominante était le bleu national. Le palais royal passait en effet pour un des édifices les plus somptueux d'Europe et son architecture extérieure, très classique, s'accordait parfaitement à l'imposante Rampe des Lions, donnant accès à la façade principale située au nord, d'une austérité anglaise malgré ses pierres d'une teinte fauve. À l'est se trouvait la Cour des Lynx qui, elle, descendait en terrasse vers le quai de l'embarcadère, là où l'eau venait caresser les fondations de l'ancienne cité.

Quant à l'intérieur du palais, il faisait inévitablement songer à Versailles avec sa galerie Charles X, fidèle répétition de la galerie des Glaces ; ce n'était pas un hasard, puisque le constructeur des lieux, Nicomède Tessin, avait choisi des assistantes dont les noms figuraient sur les livres de comptes de Colbert.

Enfin ce fut l'heure fatidique et le canon tonna, ainsi que les feux de salves. Le cortège nuptial se mit lentement en route dans des bruits d'étoffes soyeuses, des cliquetis d'épées, des rires impatients d'enfants qui se mêlaient aux conversations chuchotées des demoiselles d'honneur aux robes de satin abricot.

Astrid et Léopold avançaient comme dans un songe, ne regardant rien autour d'eux, très pâles et les yeux pleins d'une tendre lumière. Debout derrière une table à droite du trône, le bourgmestre de la ville, monsieur Lindhagen, les vit s'approcher ; il fut lui aussi charmé par leur jeunesse et leur beauté. D'une voix ferme, il lut les formules qui unissaient cet homme et cette femme. Les nouveaux mariés demeuraient immobiles, graves et recueillis ; ils écoutaient sagement les mots simples qui les comblaient de bonheur. Le couple qu'ils formaient semblait seul au monde.

Les anneaux furent échangés. La reine Élisabeth et la princesse Ingeborg essuyèrent discrètement quelques larmes d'émotion, le Prince bleu embrassait sa fille qu'embrassait à son tour le roi de Suède au mépris du protocole, car ils formaient avant tout une famille où régnaient l'affection et la joie.

La fête allait continuer. Dehors, les rues déversaient vers le palais une foule enthousiaste et, quand les jeunes mariés apparurent au balcon pour répondre avec des sourires radieux aux folles acclamations qui les saluaient, ce fut comme un joyeux délire.

Épuisée, Astrid, la nouvelle duchesse de Brabant, croyait entendre encore les notes de sa chanson favorite, une ballade suédoise qu'on avait interprétée pour elle pendant la cérémonie. Bouleversée, elle prit place dans un superbe carrosse doré aux côtés de Léopold; quatre chevaux blancs le tiraient et des porteurs de torche le précédaient. Ils traversèrent ainsi Stockholm illuminée. Ils vivaient des moments presque magiques qui les laissaient éblouis, entre le rêve et la réalité.

❦

— Ma bien-aimée nièce, la princesse Astrid, a uni sa vie à celle du prince Léopold de Belgique. Dieu veuille déposer sur cette union les plus riches bénédictions. Nos vœux les plus chaleureux accompagnent la jeune et gracieuse épousée. Elle quitte en ce jour la maison paternelle pour aller fonder dans sa nouvelle patrie son propre foyer. La place qu'elle est appelée à occuper comporte de sérieuses responsabilités et des devoirs importants. J'espère de tout mon cœur qu'elle saura gagner la confiance et l'affection du peuple dont elle partagera désormais les destinées.

Le roi Gustave avait levé son verre avant de prononcer ce petit discours. Il attendit la fin des applaudissements pour poursuivre. Cette fois, il s'adressa directement à sa nièce d'une voix attendrie.

— Ma chère Astrid, consacre-toi tout entière à la grande et belle tâche qui t'attend. Ainsi, ta vie sera heureuse. Mais aie parfois une pensée d'amour pour le pays de ta naissance et la demeure où se sont écoulées tes jeunes années…

La princesse voulut sourire, mais l'émotion qu'elle ressentait fut la plus forte et ce fut en pleurant qu'elle embrassa son oncle, avec des gestes spontanés de petite fille aimante, malgré la nombreuse assistance qui l'observait. Aussitôt, un hourra de joie retentit dans la salle du banquet, et cela quatre fois de suite, afin de ne pas manquer aux bonnes coutumes nordiques.

Ce furent ensuite des heures de joie et de fête, comme un tourbillon qui emportait dans sa ronde les pensées les plus simples et le moindre petit brin de nostalgie. On dansait, on riait, on portait des toasts. Les robes des dames et des jeunes filles composaient un charmant tableau, palette de couleurs claires et gaies qui attiraient le regard.

Quant à Astrid, discrète, mais transfigurée par le bonheur, elle était si jolie, si aimable avec tous! Mais elle ne quittait pas des yeux la silhouette de son mari, étudiant chaque trait de son visage aux lignes pures et nobles, d'une séduction infinie.

— Marthe, ma chérie, je crois vivre un rêve! J'aime Léopold de tout mon être et je suis sa femme!

Léopold non plus ne pouvait s'empêcher de l'admirer. Il se jugeait le plus heureux des hommes. Pourtant, une dernière séparation s'imposait, puisque, le soir même, le prince devait repartir pour la Belgique en compagnie de sa famille. Ils embarquaient sur la malle *Marie-Josée* qui les avait menés à bon port quelques jours auparavant, alors qu'Astrid devait voyager sur un autre bateau, le *Fylgia*. La jeune princesse arriverait à Anvers entourée de ses parents. Enfin, après le mariage religieux, qui serait célébré à Bruxelles, plus rien ne pourrait les séparer jamais.

Longtemps Léopold resta sur le pont à regarder s'estomper dans l'ombre les côtes suédoises. La mer l'emportait, mais bientôt elle conduirait vers lui une créature de bonheur, un cadeau du ciel dont l'absence lui était déjà insupportable.

10

La famille du Prince bleu se préparait au départ, tandis que le roi Albert, son épouse et ses enfants voguaient déjà vers leur pays. Il fallait les suivre sans tarder et Astrid, malgré son impatience de revoir Léopold, éprouvait un peu de chagrin ; le moment des adieux était venu, des adieux bien doux, peut-être, mais elle en avait le cœur serré.

Bien sûr elle reviendrait souvent à Stockholm ou à Fridhem, mais les jours enchanteurs de son enfance lui semblaient loin, si loin qu'elle s'attardait dans chaque pièce en quête d'un souvenir, d'une vision familière qui ressuscitait le passé. Sa main effleurait les touches du piano, ses doigts jouaient un petit air timide, puis abandonnaient, et elle soupirait, se rappelant les morceaux à quatre mains qu'ils déchiffraient, son jeune frère Charles et elle.

Il y avait aussi le bureau où sa mère aimait s'installer pour écrire en penchant son charmant profil vers le rond de lumière de la lampe… Et le fauteuil favori de son père… Dans sa chambre, elle avait feuilleté une dernière fois ses livres de fillette, ses chers livres qui abritaient tant de personnages extraordinaires, en quelque sorte des amis d'enfance : Nils Holgersson, la douce Gerda qui avait combattu par amour la cruelle Reine des Neiges, et aussi la mignonne Poucette, née dans une fleur, sans oublier le vaillant Soldat de Plomb, son préféré, parce qu'il était bon et malheureux.

— Astrid, nous allons être en retard ! Le commandant du *Fylgia* nous attend !

La princesse Ingeborg cachait sa propre émotion sous un ton volontairement enjoué. Elle trouvait judicieux de secouer un peu sa fille. Elle la trouvait pâle, trop silencieuse, et elle avait convenu avec son mari de ne pas la laisser s'attendrir le jour de son départ.

— Vous connaissez notre Astrid ! Toujours prête à céder à la mélancolie ! Elle commence une nouvelle existence loin de nous. Notre devoir est de l'aider à quitter la Suède sans trop de peine.

Répondant aux appels de sa mère, la jeune femme se décida enfin à la rejoindre, en adressant un au revoir muet à tous ces lieux chargés de précieux souvenirs.

— Mon cher pays, je penserai à toi souvent, je le sais. Tu es pour moi le plus beau pays du monde, le pays de mon enfance et celui de mon cher Papa ! murmura-t-elle en levant vers le ciel gris ses beaux yeux embués de larmes.

Mais il fallait encore traverser Stockholm, revoir les quais, le lac Mälar et les ponts de la cité, jeter un regard amusé à la tour de l'hôtel de ville, ce lourd monument de briques rouges qui évoquait toujours pour l'ancienne élève de l'École de Puériculture un gros bébé joufflu, monsieur la Tour.

Il neigeait et la mer Baltique roulait de terribles vagues bordées d'une écume argentée. Dans un mois ou deux, si l'hiver se faisait rigoureux, des blocs de glace dériveraient jusqu'au port et le vent aurait le parfum glacé des contrées perdues au nord, le Grand Nord, la Laponie…

❧

Dès qu'elle fut sur le pont du *Fylgia*, Astrid retrouva son sourire et sa gaîté ; elle avait pris le parti de se tourner résolument vers l'avenir et vers celui qui y jouerait le rôle le plus important. Appuyée à la rambarde du bateau au mépris du froid et des embruns, elle rêvait à la longue suite de jours et de nuits qu'elle passerait près de Léopold. Toute une vie avec lui s'amorçait.

Des mouettes escortaient le croiseur de la marine suédoise, ces mouettes blanches de la Baltique qui fascinaient tant Astrid du temps où elle savait tout juste marcher. Elles semblaient jouer, donnant de grands coups d'aile ou piquant vers les vagues avant de s'élever à nouveau dans l'air vif, mais, en vérité, elles luttaient contre les rafales. D'un blanc pur sur les nuages presque noirs, elles évoluaient cependant avec grâce et ce spectacle enchantait la jeune femme.

— Elles veulent m'accompagner en Belgique ! Pauvres mouettes, c'est encore loin ! J'aimerais tant y être déjà !

Astrid souriait et recommençait à rêver. Ils auraient des enfants. Oui, très vite, elle tiendrait dans ses bras un premier bébé qu'elle pourrait câliner et qu'elle embrasserait doucement. Fille ou garçon, cela n'avait pas d'importance ; ce serait leur bébé. Il recevrait tout l'amour de ses parents et les soins attentifs de sa mère, car elle avait décidé depuis longtemps de s'occuper elle-même de ses enfants dans toute la mesure du possible, comme l'avait fait la princesse Ingeborg.

— À quoi penses-tu, petite sœur ?

Marthe s'était aventurée sur le pont et, en voyant Astrid aussi distraite, elle n'avait pu résister au plaisir de la taquiner. Il était pourtant facile de deviner à quoi pouvait songer la jeune mariée.

— Marthe ! Il fallait rester au chaud dans ta cabine ! Maman ne sera pas contente si nous arrivons malades à Bruxelles !

— Oui, je sais, mais c'est surtout toi qui dois être prudente! Léopold sera à Anvers pour t'accueillir. Il faut que tu sois belle et en bonne santé. Ton arrivée en Belgique risque d'être mouvementée. N'oublie pas que tu as épousé le prince héritier. Les Belges vont te recevoir comme leur future reine.

Astrid regarda sa sœur et lui sourit gentiment. Elle était touchée de la sollicitude de Marthe et elle comprenait bien ses craintes.

— Ne t'inquiète pas, ma chérie! Je ne sais pas encore comment, mais je m'arrangerai pour leur plaire!

La traversée se révéla difficile; elle parut interminable aux passagers. Le médecin du bord, soucieux du bien-être de la famille royale, avait prévu tous les médicaments nécessaires et des boissons réconfortantes, des précautions qui furent appréciées de certains, mais qui eurent le don d'amuser Astrid.

Le commandant du *Fylgia* et ses matelots ne pouvaient en douter, leur princesse avait le pied marin et un tempérament à toute épreuve. Elle arpentait joyeusement le pont et ne souffrait d'aucun malaise. Ni les fortes vagues, ni le roulis, ni les bourrasques humides ne l'impressionnaient.

— J'aime les voyages et le mauvais temps ne me fait pas peur! répondait-elle lorsqu'on l'interrogeait poliment à ce sujet.

Le prince Charles en riait et la félicitait pour sa belle endurance. Il avait toujours apprécié chez sa fille son goût du grand air et de l'aventure.

Enfin il fut temps pour la princesse Ingeborg de choisir, après quelques essayages, les toilettes qui conviendraient à leur arrivée sur le sol belge.

— Marthe, tu mettras ton manteau gris perle. Il fait si froid! Astrid, on doit te reconnaître de loin. Ton ensemble en velours blanc sera parfait, avec ta petite toque assortie!

Astrid caressa la fourrure blanche qui servait de col à sa tenue; c'était du renard des neiges, un des ces farouches habitants des régions polaires où la nature demeure souveraine.

Le *Fylgia* glissait vers les côtes de Flandre. Déjà, des mouettes volaient à sa rencontre, messagères de la terre dont l'apparition réjouit depuis toujours le cœur des marins. Là-bas, sur le quai où devait aborder le croiseur suédois, un homme guettait le large; il scrutait l'horizon noyé de brumes, impatient d'y distinguer la forme claire d'un bateau. C'était le prince Léopold. Il vivait des instants étranges, partagé entre une exaltation délicieuse qu'il devait dissimuler à tous et une fébrilité grandissante, comme s'il craignait d'avoir rêvé et de ne pas retrouver sa jolie fiancée.

Pour se rassurer, en imagination, il la revoyait dans le salon du Palais Royal de Stockholm, quand elle avait appuyé sa joue contre la sienne et qu'il avait senti une larme tiède sur sa peau. Il se souvenait également des promenades dans la forêt entourant Fridhem, du rire d'Astrid, de ses regards où brillait une tendre ferveur.

Seul le bruit de la foule massée sur le quai parvint à le tirer de ses douces méditations. Tous ces gens attendaient eux aussi la «princesse venue du Nord» dont parlaient en termes fantaisistes les journalistes, allant même jusqu'à la surnommer la fée des neiges. Elle ne tarderait plus, maintenant. Léopold respirait mieux, puisqu'on annonçait le *Fylgia* et que les cris de la foule augmentaient, scandant la lente avancée du bateau suédois. Le roi Albert 1er et la reine Élisabeth entouraient leur fils en arborant des sourires de satisfaction. Un moment historique se préparait, qu'ils devaient affronter dignement.

Marie-Josée de Belgique, observait son frère. Elle le reconnaissait à peine, lui qui, d'habitude si grave, montrait en toutes circonstances un visage fermé d'une beauté intimidante. Il souriait, vaincu par une joie trop grande, ses yeux bleus rivés sur une silhouette

blanche qu'il distinguait à peine, mais qui se rappro-
chait sans cesse, pour se trouver bientôt à quelques
mètres du quai.

Debout à la proue du *Fylgia*, Astrid entendait parfaitement les acclamations de la population d'Anvers et,
bouleversée, elle venait d'y répondre d'un geste de la
main qui agitait un mouchoir blanc d'une manière si
naturelle et si gaie que les gens se sentirent soudain
plus joyeux. Ils éprouvaient l'impression singulière de
saluer une amie de retour ; on se pressait pour apercevoir son visage et deviner son sourire.

Le Prince bleu se tenait très droit derrière sa fille.
Il portait l'uniforme couleur d'azur de son régiment
et son casque à plumes blanches qui le grandissait
encore. La princesse Ingeborg chuchotait à Astrid des
mots d'encouragement, car la future reine de Belgique
tremblait un peu en cherchant Léopold des yeux.

— Tous nos vœux de bonheur !

Astrid se répétait la phrase que deux adorables
petites filles lui avaient récitée sur le port de Flessingue
quelques heures plus tôt en lui offrant un bouquet
d'orchidées. Elles étaient si mignonnes, ces fillettes
aux joues rouges, dans leur robe de fête, des robes
immaculées, amidonnées pour la circonstance ! De

vraies poupées à la voix chantante qui avaient aussitôt charmé la princesse suédoise, toujours prête à donner son cœur !

Les manœuvres d'accostage s'achevaient enfin et Astrid fit ses adieux aux officiers du *Fylgia* ; très émus, l'amiral et le commandant s'inclinèrent pour lui baiser la main. Maintenant, la passerelle était jetée, reliant le pont à la terre ferme. La jeune mariée pouvait s'avancer vers le quai.

11

Voici ce qu'écrivit ce jour-là un chroniqueur, sans doute perdu dans la foule qui observait cette grande jeune femme élégante qui marchait sur la passerelle du *Fylgia*.

C'était une créature de bonheur, faite pour connaître le bonheur et le dispenser autour d'elle, et chacun de ses gestes était comme une offrande.

Elle avait déjà salué les gens rassemblés pour son arrivée et son geste amical, si naturel, avait semblé s'adresser également à la grande ville flamande qui s'étendait sous ses yeux. Anvers était un des plus importants ports d'Europe, avec ses quais ouverts sur l'estuaire de l'Escaut, une vraie petite mer sillonnée par les chalands et les navires.

La flèche arrogante de la cathédrale se découpait sur le ciel gris. D'autres monuments se dressaient ici et là, dominant les toits, constructions diverses, châteaux ou musées où l'on gardait précieusement des trésors de l'art pictural…

Mais nul n'aurait pu dire combien de pas avait faits Astrid vers le sol belge quand un homme se précipita à sa rencontre. Léopold avait oublié les recommandations de sa mère, son rang, le protocole et ses impératifs. Sa bien-aimée lui était apparue et il courait la prendre dans ses bras.

Pendant un instant, la population d'Anvers, la famille royale belge et sa suite et tous ces témoins, subjugués, osèrent à peine respirer. Devant eux, un couple s'étreignait amoureusement, uni par un joyeux baiser. La minute d'après, ce fut comme une onde d'étonnement et d'émerveillement qui parcourut la foule. Marins, enfants, vieilles dames respectables, personnalités anversoises, tous étaient émus. Ce prince si beau dont l'uniforme kaki s'ornait ce jour-là du cordon bleu de l'ordre suédois, c'était le jeune et vaillant héros de l'Yser, cet enfant soldat qui avait suivi son père dans la tourmente des combats.

Chacun pouvait se reconnaître dans cet homme et cette femme qui se retrouvaient avec tant de joie, entre le pont d'un bateau et les pierres du quai, car ils avaient l'attitude simple et touchante de n'importe quelle femme éprise ou de n'importe quel homme heureux. On oubliait leurs noms et leurs origines, si bien que l'émotion se répandait de cœur en cœur, au mépris des doutes, des préjugés et des méfiances.

Oui, bien sûr, c'était elle, Astrid de Suède, la princesse protestante attendue avec suspicion, mais c'était aussi la petite fiancée qui s'abandonnait pudiquement le temps d'un baiser qui deviendrait légendaire.

Une rumeur enthousiaste s'éleva alors et se changea vite en ovation. Des milliers de bravos, des applaudissements et des cris de sympathie tonnèrent aussi fort que les trente-trois coups de canon tirés quelques minutes plus tôt.

Enfin, Astrid posait le pied sur le sol de sa nouvelle patrie. Le roi Albert put l'embrasser affectueusement, ainsi que la reine Élisabeth et la princesse Marie-Josée. La souveraine cachait difficilement sa contrariété, mais elle se promettait de sermonner Léopold à la première occasion. Un futur roi, se conduire ainsi, et devant une pareille foule, en plus ! Malgré son caractère gai et tout le bien qu'elle pensait de ce mariage, il lui était impossible de tolérer un tel accroc au protocole.

Pourtant ce baiser qui la choquait tant avait séduit le peuple et le jeune couple princier s'imposait déjà à tous comme accessible et digne d'amour. La ville en fête le prouvait ; des gens chantaient aux fenêtres, les rues se remplissaient de curieux et les acclamations prenaient sans cesse de l'ampleur. Sur le quai, Albert 1er présentait à sa belle-fille le premier ministre monsieur Jaspar, puis monsieur Van Dervelde, ministre des Affaires étrangères, et monsieur Holvoet, gouverneur d'Anvers. Une fanfare, celle du sixième de ligne, jouait l'air de la *Brabançonne*, après avoir interprété l'hymne national suédois.

Le bourgmestre, monsieur Van Cauwelaert, s'avança pour lire son discours de bienvenue.

— Bien que la raison d'État soit étrangère aux mobiles qui conduisent vos pas vers nous, il ne vous sera pas difficile, madame, de muer la sympathie avec laquelle la Belgique vous accueille en une union durable et un attachement indéfectible.

Astrid répondit à ces mots aimables par un sourire charmant et le cortège se mit en route, car il était prévu que les familles royales se rendraient à pied du lieu de débarquement à l'hôtel de ville, d'où elles rejoindraient la gare. Ce fut un trajet déjà pénible, ralenti par la foule en délire, mais, un peu plus tard, les choses se gâtèrent vraiment. Le public ne se contenait plus, des barrières étaient renversées sous la poussée d'une multitude de gens qui voulaient assister au défilé et les bousculades se faisaient violentes; des femmes s'évanouissaient et des cris de panique affolaient les responsables de la sécurité.

Léopold protégeait Astrid, dont on ne voyait que le petit chapeau blanc voguant sur cette marée humaine aux mouvements imprévisibles, et un groupe de militaires marchait devant eux, comme un bouclier vivant qui leur permettait de progresser malgré la cohue.

Le roi Albert ne comprenait pas cette sorte de furie joyeuse qui soulevait la population anversoise. La princesse Ingeborg perdit ses chaussures avant même d'apercevoir les wagons du train. Ce furent des moments éprouvants que Marie-Josée de Belgique racontera dans ses souvenirs.

Nous étouffions, écrasés, poussés d'un côté à l'autre et comme entraînés à la dérive par de forts courants. Notre terreur était d'être séparés les uns des autres…

Albert 1er n'était pas très content lorsque, enfin, ils se retrouvèrent tous dans le train. Ce qui s'était passé à Anvers le surprenait et il raccrochait ses décorations avec des gestes nerveux. Astrid tenta de l'apaiser.

— Ces braves gens voulaient me voir de plus près. Il ne faut pas leur en vouloir !

— Vous avez sans doute raison, ma chère Astrid, et, quand je téléphonerai au bourgmestre, je le remercierai de ce mémorable accueil. Il doit s'inquiéter. Je n'avais pas l'air de bonne humeur en le quittant !

Mais Bruxelles les attendait. La capitale tout entière guettait le retour de son roi et surtout la venue de la princesse du Nord, cette étrangère qui un jour régnerait sur le peuple belge. Là aussi une foule dense se pressait dans les rues et aux alentours de la gare, évoluant sous une pluie battante. Beaucoup se désolaient et scrutaient le ciel en espérant une petite éclaircie. En vain! Il pleuvait sans discontinuer. Les carrosses qui transporteraient les princes et princesses ainsi que les Altesses Royales seraient bien fermés et on ne verrait rien de ceux qui seraient assis à l'intérieur, peut-être des visages flous ou une main gantée qui aurait la gentillesse d'essuyer un peu la buée des vitres.

Astrid descendit du train en souriant à ces inconnus qui hésitaient à l'acclamer et elle leva la main pour les saluer. Cette jolie jeune femme toute vêtue de blanc ressemblait à une apparition réconfortante; quelque chose de très doux et de rassurant émanait d'elle. Bruxelles fut séduite et l'adopta aussitôt.

— La princesse souhaite que les voitures soient découvertes…

Léopold avait parlé très bas à son père qui, lui, eut du mal à ne pas répondre un ton plus haut:

— Mais il pleut trop fort! Nous serons trempés!

114

Le prince héritier retourna auprès de sa femme et ils discutèrent ensemble un court instant. Lorsqu'il revint vers le roi, il se fit persuasif.

— La princesse insiste. Elle craint de décevoir la population en traversant la ville dans un carrosse fermé.

Albert 1er se rendit en soupirant à cet argument et le cortège se mit en route sous une pluie qui semblait redoubler de violence. Les spectateurs n'en croyaient pas leurs yeux : Astrid de Belgique leur adressait à tous un geste de la main d'une grâce touchante, en souriant gentiment comme si un chaud soleil l'éclairait et qu'elle ne frissonnait pas dans ses vêtements trempés. Des gens chuchotaient, agréablement surpris, et certains commençaient à refermer leur parapluie, voulant ainsi prouver qu'ils savaient eux aussi se moquer des intempéries.

Maintenant, le landau[8] de la cour roulait sur des pavés centenaires, les sabots des chevaux résonnaient gaiement et on entendait de la musique. Léopold se pencha vers Astrid.

---

8. Lourd véhicule hippomobile.

— Nous allons arriver sur la Grand-Place. C'est le véritable cœur de Bruxelles. J'espère que cela vous plaira !

Le mot plaire était faible. La princesse fut éblouie en découvrant cette vaste place sertie entre ses maisons à pignons et le gigantesque bâtiment de l'hôtel de ville. Ce n'était pas la première personne à rester ainsi émerveillée à la vue de tant de splendeurs ; beaucoup d'autres après elle admireraient un jour ce joyau de l'Europe, ce site grandiose qui fascine tous les visiteurs.

Des projecteurs jetaient sur les riches façades un éclat jaune et cette nouveauté embellissait encore en les accentuant les moindres détails de l'architecture. Les statues se profilaient au-dessus du vide, formes gracieuses dont les robes et draperies de pierre accrochaient la lumière, et les balcons ouvragés aux décors redorés évoquaient une dentelle précieuse courant le long des fenêtres.

— C'est magnifique, Léopold !

— Sur notre droite, c'est la maison des ducs de Brabant et, là-haut sur le beffroi, à plus de cent mètres, vous voyez la statue de Saint-Michel terrassant le dragon.

Astrid leva une mine ravie et contempla la silhouette de cuivre doré qui se dessinait sur le ciel sombre. Elle

116

regarda chaque maison, les colonnes de l'une, les pignons à volutes de l'autre, et se dit qu'il lui faudrait peut-être des semaines pour tout voir de ce chef-d'œuvre de l'art gothique.

Le landau continuait à faire le tour de la place et Léopold commentait pour elle certaines curiosités.

— Voici la Maison des Archers. Le groupe de sculptures représente la Louve allaitant Rémus et Romulus…

Un peu lasse à la fin de cette longue journée mouvementée, Astrid s'appuya au dossier du siège et se tourna vers son mari. Lui aussi avait les traits tirés par la fatigue, mais son regard bleu brillait de joie.

— Léopold, j'apprendrai à connaître Bruxelles et je crois que je serai heureuse ici, avec vous !

Le prince lui prit la main et y déposa un baiser discret. Les gestes d'Astrid, ses yeux clairs où se reflétait la pureté de son âme, son sourire si doux et sa voix chantante quand elle lui parlait dans un français maladroit, tout le séduisait et le charmait.

— Notre mariage religieux sera célébré à Sainte-Gudule, une très ancienne basilique. Je suis très ému en songeant à la cérémonie, Astrid, et à notre avenir commun.

Les deux familles avaient dû affronter quelques problèmes avant d'envisager cette union entre un catholique et une protestante. Quand on abordait ce sujet, Léopold balayait toutes les objections d'un geste joyeux. Il suffirait d'obtenir une dispense du Vatican en attendant l'éventuelle conversion de la future reine.

Ainsi, le matin du mariage religieux, seuls comptaient le bonheur du jeune couple et les vœux chaleureux de tout un pays en liesse. La Belgique hissait le pavillon de l'Amour…

12

— Je n'aurais jamais pensé être aussi bien accueillie, Marthe. La population de Bruxelles m'a fêtée avec tant de gentillesse !

— C'était à prévoir. Tu avais tort de t'inquiéter. Vous formez un si beau couple, Léopold et toi, il suffit de vous regarder pour être séduit.

Astrid était debout près d'une fenêtre du palais de Laeken et elle regardait les arbres du parc. Bientôt elle habiterait là, dans le palais de Bellevue, situé à l'aile gauche du palais royal de Bruxelles. Même si elle n'avait guère eu le temps de penser à l'aménagement de ses appartements, elle se promettait de créer un nid douillet pour son mari et leurs futurs enfants. Comme à Fridhem, il y aurait des fleurs dans chaque pièce et elle ne laisserait à personne le soin de préparer les bouquets.

La veille, une grande réception avait eu lieu à l'hôtel de ville et, une fois encore, Astrid avait conquis toute l'assistance en apparaissant, si gracieuse et toujours vêtue avec une élégance discrète bien accordée à sa silhouette de *statue grecque*, comme l'avait noté Colette, la célèbre romancière française.

— Astrid, il est l'heure de t'habiller. Je vais appeler les couturières. Nous avons de la chance, il ne pleut pas le jour de ton mariage !

Un peu plus tard, le prince Charles de Suède conduisait par la main une ravissante jeune femme parée d'une robe en brocart d'argent. Ils avançaient tous deux vers le grand escalier de la basilique Sainte-Gudule et le gros bourdon de l'église, vieux de plusieurs siècles, lançait dans le ciel de joyeux carillons, auxquels répondaient les autres cloches de la ville dans un concert étourdissant qui exprimait le bonheur de tout un pays.

Bruxelles aussi avait mis une toilette de noce : les maisons étaient pavoisées et certains balcons s'ornaient de draperies en velours. Le long des rues, on avait accroché une multitude de petits drapeaux aux couleurs vives, triangles bleus ou jaunes, rouges ou noirs. Les jeunes filles avaient sorti leurs plus jolies robes et s'étaient coiffées soigneusement pour aller se poster sur le passage du cortège royal, car il convenait de se faire belle quand on pouvait admirer un couple aussi charmant, dont le mariage faisait la une de tous les journaux d'Europe.

On évoquait même, en parlant des fastes de cette cérémonie, un autre événement qui datait pourtant de soixante-treize ans, mais qui avait laissé un vif souvenir dans les mémoires : le 23 août 1853, également à Sainte-Gudule, on avait célébré les noces de Léopold II, l'oncle du Roi-Soldat, et de Marie-Henriette d'Autriche. De toute évidence, en ce matin de novembre, Astrid et Léopold entraient eux aussi dans la légende des têtes couronnées.

❧

Maintenant, la mariée avançait lentement au bras de son père, sous la nef de l'église où se dressait un dôme de velours rouge orné de banderoles d'hermine. Derrière elle marchaient quatre petits pages aux mines sérieuses, qui tenaient sa longue traîne brodée et osaient à peine regarder autour d'eux de peur de commettre une maladresse.

Le cardinal Van Roy, archevêque de Malines et primat de Belgique, était chargé de l'office. Cinq évêques l'assistaient, ainsi que tous les curés des paroisses de Bruxelles. Comme Léopold et Astrid avaient refusé la conversion diplomatique de la princesse au catholicisme, la cérémonie se déroulerait selon les rites des mariages mixtes, ce qui laissait à la jeune femme le temps de réfléchir et de choisir en toute liberté – si elle le souhaitait – la religion de son époux.

Mais les orgues jouaient et des voix d'enfants chantaient, si pures, si belles que personne ne songeait à ce genre de choses; le cœur en paix, les rois, les princes de sang et leurs épouses, les chefs d'États étrangers ou les proches parents, tous contemplaient avec émotion ce couple agenouillé dans la lumière douce des cierges.

L'archevêque les regardait aussi et, vêtu d'une chape tissée d'or fin vieille de trois cents ans, l'homme de Dieu se réjouissait de bénir l'union de ces jeunes gens dont l'amour semblait sincère et profond.

— Désormais, vous accomplirez ensemble votre voyage terrestre en mettant en commun vos pensées et vos sentiments, vos joies et vos peines, tous vos intérêts et toutes vos espérances.

Bouleversé, Léopold avait écouté ces paroles qui venaient de résonner sous les voûtes de la basilique et il avait murmuré d'une voix altérée par l'émotion:

— Amen!

Astrid souriait, très pâle. Ils étaient unis au nom du Père, du Fils et du Saint-Esprit, et ce constat la comblait d'une joie douloureuse.

Serait-elle digne de son mari? Mériterait-elle l'amour de tout un peuple? Saurait-elle donner assez

122

de sa personne, aider ceux qui auraient besoin d'elle ? Inquiète, elle se tourna un peu vers Léopold et, dès qu'elle vit son beau visage rayonnant de joie, ses craintes s'envolèrent. Elle s'abandonna à un intense sentiment de bonheur et se mit à sourire de toute son âme.

Le bouquet de lys et d'orchidées blanches qu'elle tenait à la main dégageait un délicieux parfum un peu sucré et la jeune femme respira encore une fois ces précieuses fleurs, tandis que les premières notes de la Brabançonne s'élevaient dans l'église.

— Mon Dieu, protégez-nous et aidez-nous. Je crois en votre toute-puissance et en votre bonté !

C'était une courte prière, une supplique muette qu'avait adressée la princesse de Suède au Dieu de son enfance, celui qui savait avant tout pardonner aux hommes leurs erreurs. On avait décoré les murs du chœur en y accrochant de très anciennes tapisseries appartenant au trésor royal et les images dont les teintes s'étaient comme adoucies au fil des siècles racontaient l'histoire du Saint-Sacrement du Miracle.

Avant de quitter la nef, la jeune mariée admira ces dessins d'un autre âge et se sentit soudain plus forte, car, depuis des années, elle croyait au pouvoir de la foi et aux vertus de l'espérance. Confiante, la nouvelle duchesse de Brabant, Astrid de Belgique, se redressa et sortit de Sainte-Gudule au côté de Léopold.

De bruyantes acclamations saluèrent leur apparition, mais elles prirent encore de l'ampleur quand Astrid tendit vers la foule son bouquet, un geste spontané qui provoqua l'enthousiasme de tous. Quand au prince héritier il agitait son képi en signe de joie, sous les applaudissements des officiers de sa promotion.

En bas des marches, les élèves de l'École des grenadiers les attendaient. Suivant le rituel, ils avaient formé de leurs épées une voûte d'acier sous laquelle devaient passer les mariés et leur famille. Le Roi-Soldat eut un petit sourire songeur en observant toutes ces lames dénudées au reflet argenté…

Marie-Josée avait remarqué l'expression mélancolique de son père qui, depuis le début des festivités, avait paru bien distrait. À quoi pouvait donc penser Albert 1er ? Peut-être se souvenait-il de son propre mariage, des serments échangés jadis et de l'amour passionné qui les isolait, Élisabeth et lui, du reste du monde, les premiers temps de leur union et les années suivantes aussi. Ou bien il s'inquiétait pour son fils aîné, se demandait quelles épreuves l'avenir lui réservait. Malgré ses grandes qualités et son courage, Léopold manquait de maturité et le roi le savait. La terrible guerre qui avait tant meurtri son pays demeurait un amer souvenir dont les séquelles seraient longues à disparaître. Qui serait en mesure d'assurer qu'un tel conflit ne se reproduirait pas?

Contrairement à son époux, la reine offrait à tous un visage radieux, car elle s'estimait vraiment satisfaite. Ses vœux les plus chers étaient exaucés. Astrid avait fait en quelques jours la conquête de la population belge, son fils vivait une merveilleuse romance et ce magnifique mariage resterait dans toutes les mémoires. En somme, c'était une réussite complète.

❦

— Au revoir, ma chérie. Et n'oublie pas de nous téléphoner régulièrement. Je vous souhaite une agréable lune de miel, comme on dit en français!

La princesse Ingeborg embrassait sa fille une dernière fois en la regardant attentivement. Qu'elle était jolie, sa petite Astrid! Les joues roses d'émotion, déjà prête à s'enfuir vers Ciergnon en compagnie de son mari, elle portait un simple tailleur en lainage et elle ne semblait pas regretter les somptueuses toilettes dont on l'habillait lors des cérémonies officielles.

— Maman, sois tranquille, je t'écrirai et te téléphonerai. Tu me donneras des nouvelles de Fridhem, de notre chère Nenne[9] et de mes amies.

Marthe venait d'entrer dans la pièce. Les deux sœurs s'embrassèrent affectueusement.

— Sois heureuse, ma petite Astrid! Je viendrai te voir à Bruxelles et nous nous retrouverons parfois à Stockholm.

— C'est promis, Marthe. Oh! Je crois qu'il est l'heure de rejoindre Léopold. Nous devons partir incognito… enfin, si personne ne dévoile le secret!

Astrid parlait en riant, mais elle avait un peu rougi. Elle ajouta vite pour cacher son trouble:

— Je suis très contente d'aller ce soir à Ciergnon. C'est un endroit tranquille et la forêt est si belle! Presque aussi belle que nos forêts suédoises!

---

9. Nenne était la gouvernante des princesses suédoises.

13

Ils étaient arrivés au château assez tard dans la soirée et la vieille demeure leur avait semblé différente, empreinte d'un charme étrange. Le paysage alentour avait changé ; ce n'était plus la beauté verdoyante du plein été ; seuls les sapins ombraient encore le versant des collines et, dans la plaine de la Lesse, les frênes bordant la rivière offraient au ciel gris une ramure dépouillée que le vent du nord secouait rudement.

Dans le grand salon, un feu majestueux brûlait avec des crépitements joyeux, et les flammes coloraient un peu les joues pâles de la princesse Astrid :

— Tu es fatiguée ?

Léopold caressait les cheveux de sa femme d'une main timide. Il doutait de cette douce réalité : être là avec elle, enfin loin des regards, de tous ces gens qui voulaient les photographier, les interroger, leur voler le moindre sourire ou la moindre larme. Les journées qu'ils venaient de vivre tous les deux les avaient épuisés et le calme accueillant de Ciergnon les surprenait presque. Ils osaient à peine se parler.

— Comme tu es jolie, ce soir ! Ne sois pas inquiète, Astrid, nous allons nous reposer d'abord et ensuite nous partons en France, dans le midi. Là-bas, personne ne nous connaît. Nous serons vraiment en vacances. Toi qui es gourmande, je crois que la cuisine va te plaire !

Chaque couple a ses secrets. Même un couple princier ayant eu les honneurs des premières actualités cinématographiques a le droit de se cacher, de se fondre dans un agréable anonymat pour profiter en toute sérénité des heures les plus exaltantes qui soient, de la découverte de l'autre, de ses pudeurs, de ses élans maladroits, pour éprouver pleinement la joie d'être seuls, sans souvenirs ni contraintes, la nuit comme le jour, du soir au matin et du matin au soir.

Astrid devenait une femme et chacun de ses gestes avait une douceur nouvelle. Elle aimait Léopold de tout son être et il l'aimait avec la même intensité. Leur bonheur de jeunes mariés s'en trouvait comme sublimé, tout en demeurant d'une grande simplicité. Ils étaient ensemble, ils s'embrassaient en riant et ne se quittaient pas un seul instant. Cela leur suffisait amplement.

— Tu es mon merveilleux mari ! disait-elle en se serrant contre lui.

— Et tu es la femme idéale. Je ne veux pas que tu t'éloignes un instant de moi. Je suis trop malheureux quand je ne te vois pas ! répondait le jeune homme d'une voix émue.

Astrid penchait un peu la tête et lui souriait, jouant de bon cœur le rôle de l'épouse patiente et disciplinée, vite récompensée d'un tendre baiser.

Ainsi, alors qu'ils apportaient des gerbes de fleurs en l'honneur du mariage, des gens de la commune furent très surpris de les trouver dans le garage de la propriété. Léopold était plongé dans le moteur de la voiture et il aidait le chauffeur à réparer un petit ennui mécanique. Assise près d'eux, Astrid les regardait travailler. Bien que très étonnés à la vue d'un tel spectacle, les visiteurs offrirent les bouquets dans ce décor original. En repartant, ils commentaient gaiement l'incident, appréciant d'emblée la gentillesse et l'attitude décontractée de leurs futurs souverains.

🐝

— Léopold, voilà, je suis prête. En route pour la Provence !

Le chauffeur avait garé l'automobile devant le perron. Astrid s'installa à l'arrière, impatiente de partir. Elle retrouvait ce matin-là son enthousiasme de petite fille, celui qu'elle éprouvait lorsque la voiture du Prince bleu l'emportait sur les routes de campagne, à une vitesse qu'elle jugeait alors extraordinaire et qui la ravissait.

Ce court voyage de noces l'enchantait et la perspective de traverser la France en touriste, des Ardennes à la Côte d'Azur, l'amusait beaucoup, surtout en compagnie d'un guide aussi amoureux que Léopold, son merveilleux mari.

Les kilomètres s'inscrivaient régulièrement sur le compteur de la voiture et, d'heure en heure, les paysages défilaient derrière les vitres, avec les masses sombres des bois et des forêts, ou encore les étendues rousses ou grises des champs labourés. Parfois c'étaient des coteaux plantés de vigne sur le versant d'une vallée paisible.

Les peupliers alignés indiquaient aux voyageurs la présence d'une rivière dont on pouvait lire le nom en passant le pont, souvent un panneau de bois. La plupart du temps, cette rivière inconnue traversait un village. Astrid était charmée par ces petits bourgs de France qu'ils découvraient au hasard de la route. Elle admirait les églises romanes comme les maisons basses nichées au fond d'un jardin plein de mystère.

— Regarde celle-ci avec ses volets bleus. On dirait vraiment la maisonnette de Hansel et Gretel!

Léopold approuvait en souriant, heureux de la voir si joyeuse. Lui qui avait déjà visité certaines de ces régions, il leur trouvait à présent un nouvel attrait qui tenait en fait à la présence de sa jeune épouse. Ils déjeunaient dans des auberges tranquilles, des établissements de qualités où, face à face, ils pouvaient déguster incognito des plats savoureux en discutant gaiement et en échangeant des regards d'une grande douceur où s'exprimait pudiquement tout leur amour.

Un fleuve roulait ses flots impétueux entre des collines abruptes. Ces eaux argentées où le vent soulevait des vaguelettes rapides fascinaient Astrid.

— C'est le Rhône, lui apprit Léopold. Il va se jeter dans la Méditerranée. Nous suivons la même direction que lui. Il descend des Alpes. En Suisse c'est encore une sorte de ruisseau, large de deux mètres à peine.

— Il semble si fort, si terrible !

On était en novembre. Il pleuvait un peu et les jeunes gens se rapprochaient l'un de l'autre comme pour se réchauffer. Ils appréciaient le confort de la voiture, leur isolement et la singulière impression de sécurité qu'on éprouve souvent à l'intérieur d'un véhicule qui vous emporte toujours plus loin, vers la destination de votre choix.

Ils arrivèrent le soir même à Nîmes. Dès le lendemain matin, en simples touristes, ils marchaient dans
les rues de la vieille cité méridionale, admirant la
Maison Carrée, un ancien temple romain, la Tour
Magne et les Arènes, ainsi que d'autres monuments
antiques qui dataient des lointains envahisseurs de la
Gaule.

Ils visitèrent aussi les Jardins de la Fontaine où
les attendaient de splendides statues aux formes
élancées, des chefs-d'œuvre qui avaient bravé les
siècles et qu'un soleil timide éclairait, jouant sur
l'arrondi d'une épaule de pierre blanche ou sur le
profil songeur d'une Vénus hautaine.

— C'est magnifique, Léopold! Je ne savais pas qu'il
y avait de tels trésors en France. Moi qui rêvais tant de
voyager quand j'étais petite, je voulais surtout partir
très loin ; je ne pensais même pas aux pays voisins!

— Mais nous irons aussi très loin, tu verras. J'espère
retourner au Congo avec toi, t'emmener aux Indes et
plus loin encore, là où tu voudras.

Astrid éclata de rire et embrassa tendrement son
mari. Ils oubliaient leur retour prochain à Bruxelles
et les obligations qu'ils auraient à assumer dès qu'ils
seraient redevenus le couple princier promis au trône.
Pour l'instant, ils profitaient pleinement de cette

132

inoubliable escapade en se promenant main dans la main, comme des amoureux semblables à tant d'autres qui ne désiraient qu'une seule chose, être ensemble.

❦

Arles, Avignon, les Baux de Provence, ces noms garderaient une consonance presque magique dans les souvenirs d'Astrid. Qu'elle était belle, cette région ! Bien sûr, la terre se montrait parfois aride et les hommes devaient souvent lutter contre les assauts du mistral. Mais, ici, la lumière avait une beauté particulière et les villages perchés sur les collines semblaient la retenir, en offrant au soleil hivernal des murs ocrés et des toitures roses.

— J'aime beaucoup ce pays, Léopold, et la cuisine est délicieuse.

Ils avaient marché longtemps dans Avignon, subjugués par le gigantesque Palais des Papes et son architecture austère. Un peu las, ils se régalaient d'une bouillabaisse bien chaude aux saveurs épicées et Astrid mangeait de bon appétit, encourageant son mari à l'imiter.

— Mon chéri, tu dois apprendre à te nourrir convenablement. Quand nous serons chez nous, je te ferai des plats suédois et des gâteaux.

— Si c'est toi qui me sers, j'avalerai n'importe quoi !

La princesse soupirait en affectant un air attendri et se promettait de veiller sans cesse sur la santé et le bonheur de Léopold. Elle souhaitait le rendre heureux, adoucir sa vie quotidienne, l'assister de tout son cœur chaque fois que ce serait nécessaire.

Avant de rentrer en Belgique, les jeunes mariés passèrent une journée en Camargue. À la vue de ces vastes espaces où l'eau et la terre se confondaient, Astrid ressentit une profonde émotion ; c'était un endroit si étrange, entre le rêve et la réalité ; il y avait d'innombrables oiseaux, de hautes herbes souples et des arbustes rabougris ; le vent soufflait en rafales et apportait le parfum salé de la mer toute proche.

Des troupeaux de chevaux blancs vivaient là et galopaient librement à travers le marais, tandis que, plus loin, derrière des barrières rustiques, on distinguait les silhouettes sombres des vaches camarguaises, à la robe noire et aux cornes fines. Les taureaux se tenaient un peu à l'écart ; ces bêtes étaient imposantes, d'une stature vraiment impressionnante. C'était un univers déconcertant, et pourtant séduisant, où l'homme ne semblait pas avoir un rôle très important.

— C'est une contrée sauvage. Cela pourrait ressembler au Smäland, en Suède.

Astrid pensa quelques instants à son pays natal et à ses parents. Dès le soir venu, elle écrirait à la princesse Ingeborg et lui parlerait de la Camargue, des rues étroites si pittoresques de la ville d'Arles et de tout ce qui l'avait étonnée ou charmée.

Mais, hélas! leurs vacances étaient terminées, il fallait quitter le Midi, retrouver Bruxelles et le palais de Laeken.

— Je n'oublierai jamais notre lune de miel, Léopold. Nous avons été si heureux!

— Nous le serons encore. Notre vie de couple ne fait que commencer, Astrid, ne crains rien!

La jeune femme approuva en souriant gentiment et lui prit la main.

— Ne crains rien non plus, je serai toujours avec toi.

14

Ils étaient de retour à Bruxelles. La reine Élisabeth les avait accueillis tendrement et ils s'étaient installés pour l'hiver dans le pavillon Bellevue, construit par Léopold II et qu'on nommait aussi le palais Bellevue, puisqu'il faisait partie intégrante du palais royal.

Léopold se consacra aussitôt à ses lourdes tâches de prince héritier, mais il travaillait le cœur léger, sachant qu'à la fin de la journée, il se retrouverait seul avec sa bien-aimée Astrid. Quant à la princesse suédoise, elle ne restait pas inactive, ayant décidé d'apprendre le plus vite possible le français et le néerlandais, les deux langues nationales de la Belgique.

Cette mesure s'imposait, car elle voulait gagner la confiance des Français et pouvoir s'exprimer également en flamand. Comme les leçons de Léopold ne suffisaient pas, une jeune femme fut chargée de lui enseigner le français. Elle se nommait mademoiselle Paris. Elle vécut le temps nécessaire avec le couple princier. S'il le fallait, elle déjeunait même en leur compagnie. À ce rythme, Astrid progressa rapidement, mais elle garda cependant un adorable accent qui charmait son entourage. Le néerlandais lui posa moins de problèmes et son professeur, le romancier Herman Teirlinck, eut affaire à une élève studieuse qui se servit des analogies avec les langues scandinaves pour discuter en flamand sans trop de difficultés.

Ces leçons n'empêchèrent pas Astrid de veiller elle-même à l'aménagement de leurs appartements. Son premier soin fut de faire équiper en cuisine une petite pièce qui jouxtait leur chambre; là elle s'amusait à préparer toutes sortes de plats délicieux, qui étaient, bien sûr, d'inspiration suédoise.

Marie-Josée de Belgique était souvent invitée chez eux et elle ne s'en plaignait pas. Elle trouvait là une ambiance chaleureuse et détendue qui la ravissait. Le prince Charles lui-même, frère cadet de Léopold, consentit à honorer la table d'Astrid. On savait au Palais la mésentente qui régnait entre les deux hommes, mais une fée était venue et, en sa présence, les discordes s'apaisaient.

On savourait des *smorbrods*, du caviar ou des toasts de saumon fumé en buvant des vins de qualité et plus personne ne songeait à se quereller, surtout en compagnie d'une hôtesse aussi aimable et dévouée à ceux qu'elle recevait. La famille royale belge devait avouer qu'elle aimait chaque jour davantage la nouvelle venue, dont la simplicité et la bonne volonté ne désarmaient jamais.

Comment résister à la spontanéité et à la gaîté d'Astrid, d'ailleurs ? Une anecdote, rapportée par le diplomate Alexis Léger, plus connu sous son nom de poète Saint-John Perse, dépeint avec humour la personnalité de la jeune princesse.

— J'accompagnais Briand en visite officielle à Bruxelles et nous étions logés au pavillon de Bellevue. Soudain il y eut une panne d'électricité, alors que je cherchais à retrouver ma chambre. J'ai continué à tâtons, mes chaussures à la main pour ne pas faire de bruit. Alors que je commençais à désespérer, j'ai aperçu une lumière au-dessus de moi. J'ai reconnu avec surprise la princesse Astrid. Elle tenait un chandelier d'une main et ses escarpins de l'autre. Nous nous sommes regardés un instant avant d'éclater de rire, moi en uniforme, elle un petit peu décoiffée. Enfin la lumière est revenue. Nous avons discuté de l'incident et cette gracieuse jeune femme m'a invité à prendre un rafraîchissement dans leurs appartements, où le prince Léopold me reçut lui aussi aimablement. Ils semblaient si heureux, tous les deux ! Je ne regrettais pas de m'être égaré dans cet escalier.

Tous les soirs, Astrid téléphonait à ses parents, en Suède, pour donner brièvement de ses nouvelles et s'enquérir de leur santé. Ces conversations lui étaient indispensables. Non seulement elle avait ainsi l'occasion d'entendre parler suédois, mais, de plus, sa mère la faisait rire et Marthe lui faisait d'amusantes confidences. Pendant quelques instants, la jeune princesse avait l'impression de se trouver auprès des siens et cette douce sensation l'aidait à ne pas souffrir de leur absence.

Au mois de février 1927, la princesse Ingeborg eut une agréable surprise. Lorsqu'elle décrocha son téléphone, elle reconnut la voix d'Astrid, mais son timbre était différent, vibrant d'une émotion intense.

— Maman, j'ai une grande nouvelle à t'apprendre. J'attends un enfant! Je vais avoir un bébé, tu as entendu, un bébé bien à moi!

— Ma chérie, mais c'est merveilleux! Vous devez être si contents, Léopold et toi! Je vais vite l'annoncer à toute la famille. Je viendrai passer le dernier mois de ta grossesse à Bruxelles.

— Oh maman, je suis heureuse, tellement heureuse! Nous allons nous installer au château de Stuyvenberg.

140

C'est un endroit exquis, plus intime que celui où nous demeurons maintenant. Déjà, je le fais aménager. Tout sera prêt au printemps.

❦

À Stockholm, on parla beaucoup de cette future naissance. Le Prince bleu en fut très ému. Astrid allait devenir une maman. Comme le temps passait vite ! Il la revoyait fillette, gambadant sous les arbres de Fridhem ou le long du ruisseau où ils pêchaient ensemble des écrevisses et ces images le rendaient un peu mélancolique. Mais Marthe s'empressa de le faire rire et tous deux discutèrent gaiement de l'enfant tant attendu. Longtemps à l'avance, ils firent des conjectures en se demandant à qui il ressemblerait ou quel nom Astrid lui donnerait.

À Bruxelles, le roi Albert et son épouse se réjouissaient aussi à l'idée d'être grands parents. Quant au prince Léopold, il était toujours follement amoureux de sa femme, qui le comblait dans tous les domaines ; elle lui offrait sa douceur et sa tendresse vigilante, veillait au bon équilibre de ses repas et se montrait une femme éprise aussi bien qu'une maîtresse de maison parfaite.

Le petit château de Stuyvenberg devint leur refuge de prédilection. Astrid l'avait aménagé avec goût et raffinement en appliquant son attention sur les détails susceptibles de plaire à son mari, sans oublier pourtant de faire une place choisie à ses souvenirs de Suède.

— Léopold, viens voir la chambre d'enfant! Le papier peint raconte des légendes nordiques; cela me rappelle mon cher pays. Qu'en penses-tu?

Le prince répondit d'un sourire et serra dans ses bras celle qui lui donnait son cœur chaque heure de leur vie commune et qu'il aimait passionnément, de toute son âme.

Une amie d'Astrid, Greta Eriksson, en témoigna par écrit.

Il y a de l'amour et de l'admiration dans chaque geste qu'il a pour elle. Lorsqu'il arrive au château et qu'elle ne vient pas à sa rencontre dans le hall, il se précipite à sa recherche en l'appelant par son nom. Il ouvre brusquement toutes les portes en demandant anxieusement: «N'avez-vous pas vu la Princesse?»

Un autre ami avouait à son tour:

— Astrid savait comment rendre la vie plus gaie et lui communiquer sa joie.

Oui, assurément, la princesse possédait ce don du bonheur, comme elle avait le pouvoir de conquérir les foules. Les femmes belges admiraient son élégance discrète et la majesté de son allure. Non seulement on vantait ses choix vestimentaires, on s'en inspirait souvent.

Astrid portait volontiers du bleu pâle ou du vert d'eau, des couleurs douces assorties à son teint de Scandinave et à ses yeux clairs. Elle s'habillait dans les maisons de haute couture de la rue Neuve ou de la chaussée de Charleroi, où l'on suivait de loin la mode française en évitant ses célèbres extravagances.

Bruxelles avait définitivement adopté cette belle jeune femme venue de Suède et les magazines publiaient régulièrement des photographies de la future souveraine. On la voyait vêtue d'une robe du soir qui découvrait ses superbes épaules et ses bras de statue, ou bien on la surprenait en tailleur de tweed, alors qu'elle marchait d'un bon pas dans le parc de Laeken.

Qu'elle fût parée pour une fête officielle ou habillée en simple bourgeoise, son image séduisait de toute façon le peuple belge, dont l'âme joyeuse était encline aux affections durables. Qu'on fût Wallon ou Flamand, on aimait Astrid et on l'aimerait longtemps.

❧

On était au mois de mai et, sous les frondaisons des massifs du jardin de Stuyvenberg, des fleurs s'épanouissaient un peu partout. En face, on distinguait à travers les branches des arbres la façade du château de Laeken, mais Astrid préférait le domaine verdoyant où elle habitait, qui n'était pas sans ressembler vaguement à Fridhem, la maison de la paix chère à son cœur de Suédoise.

Ce matin-là, accompagnée de son mari, la princesse marchait lentement dans les allées du parc. Elle avait un sécateur à la main et Léopold portait un grand panier d'osier.

— La plus belle gerbe sera pour ton bureau. Il me faut aussi des bouquets pour l'entrée et le salon, sans oublier notre chambre…

Astrid caressait chaque fleur avant de la cueillir, comme si elle lui demandait pardon de la mutiler ainsi, de la priver du bon soleil printanier.

— Je les aime tant, Léopold! Je ne peux pas imaginer une maison sans fleurs! Mais cela me chagrine de les couper.

Pourtant les domestiques avaient l'habitude de voir leur maîtresse agenouillée dans le vestibule, en train de séparer les roses des glaïeuls ou de disposer les tulipes près des anémones. Pour ces beautés que la nature offre aux hommes, ses mains se faisaient légères et attentives. Elle n'aurait laissé ce soin à personne, allant même jusqu'à déclarer un jour, avec un sourire espiègle :

— Si je n'étais pas ce que je suis, une princesse, une future reine, j'aurais volontiers tenu un magasin de fleurs. Léopold, lui, m'a confié qu'il aurait voulu devenir marin et faire le tour du monde.

Des ambitions en fait bien modestes pour ce couple destiné au trône et dont on surveillait les moindres faits et gestes. Mais l'avenir auquel ils étaient promis ne les effrayait pas, ils seraient deux à l'affronter et cette certitude les rendait plus forts.

— Et, cet automne, nous aurons notre bébé à chérir, notre premier enfant, Léopold. J'espère qu'il aura tes beaux yeux bleus !

— Et ton sourire ! ajoutait le prince, attendri.

Leur bonheur était profond. Il n'y manquait plus qu'un personnage d'importance, ce bébé qui devait naître vers le milieu du mois d'octobre.

15

L'automne avait transfiguré le parc du Palais Royal et les grands arbres se paraient de couleurs flamboyantes, du jaune or au rouge intense, en passant par toute la gamme des roux. Les allées étaient jonchées chaque matin d'un tapis de feuilles mortes, ce qui donnait beaucoup de travail aux jardiniers.

Astrid aimait se promener dans ce décor lumineux et, aux heures tièdes de la journée, en bavardant avec sa dame de compagnie, elle marchait au soleil d'un pas lent et admirait les dernières floraisons de l'automne.

— Regardez comme les dahlias sont beaux… et les asters! J'espère qu'il ne gèlera pas trop tôt, cette année; ces pauvres fleurs en souffriraient.

La princesse respirait soudain plus vite; son enfant venait de bouger et ce mouvement sourd la rendait si heureuse qu'elle gardait longtemps le silence, comme si elle se recueillait pour mieux apprécier ce court moment de joie. Encore une semaine environ à attendre, si le médecin ne se trompait pas, une semaine à guetter le moindre signe alarmant.

— Nous devrions rentrer au château. Maman va s'impatienter.

Depuis quinze jours, la princesse Ingeborg était l'invitée de la famille royale belge. C'était une interlocutrice de choix pour la reine Élisabeth qui pouvait parler longuement avec elle de ce bébé princier tant désiré. Comme toutes les grand-mères du monde, les deux femmes échangeaient leurs idées au sujet des pièces de layette et de lingerie, en évoquant parfois leurs expériences en ce domaine.

Un soir, pendant qu'Astrid brodait un bavoir en contemplant le feu d'un air distrait, sa mère raconta avec l'humour qui lui était coutumier comment s'était passée la naissance de ses filles.

— Pour Astrid, j'aurais pu accoucher sur la grande place de Stockholm qu'il n'y aurait pas eu plus de témoins ! C'est une tradition, à la cour de Suède. Les proches parents doivent être présents, les oncles, tantes, cousins, grands-mères et grands-pères ! Ton père avait fait dresser un buffet devant la porte de la chambre. Les invités venaient de temps en temps aux nouvelles et je voyais de mon lit des gens en tenue de soirée, un verre ou un toast à la main. Cela se prolongea tard dans la nuit et, enfin, bébé est arrivé.

Astrid avait abandonné un instant son ouvrage pour écouter sa mère, le sourire aux lèvres.

— Maman, j'espère que tout ira bien pour moi aussi. J'ai un peu peur, j'avoue.

— Il ne faut pas, ma chérie. Tu es sportive et robuste, tu n'as pas de crainte à avoir… Je crois que ce sera une petite fille.

Effectivement, le 11 octobre 1927, à huit heures du matin, une petite fille venait au monde et les cloches de Sainte-Gudule ne tardèrent pas à sonner joyeusement pour annoncer à la population de Bruxelles la naissance de Joséphine-Charlotte, le premier enfant de la douce Astrid et du prince Léopold.

Il était tôt et un peu de brume s'accrochait aux cheminées de la ville. Dans beaucoup de foyers, on buvait le café, après avoir ranimé le feu qui couvait sous la fonte brillante des lourdes cuisinières soigneusement astiquées. Brusquement le canon avait tonné et bien des femmes avaient compté les coups qui résonnaient au-dessus des toits.

— Cinquante et un! C'est une fille, une petite princesse.

Ce fut le signal d'une ruée curieuse et bruyante vers les grilles du Palais Royal. Certains étaient déçus; ils attendaient un garçon et non une fille. Mais d'autres, moins contrariants, rétorquaient que ce serait pour une prochaine fois et continuaient à lancer des cris de félicitation vers les fenêtres du château.

❦

L'enfant fut ondoyée en fin de matinée par le chanoine Cocheteux. Elle eut comme marraine la grande-duchesse de Luxembourg, qui accepta avec bonheur cette douce responsabilité.

Dans l'après-midi eut lieu une autre cérémonie, l'acte officiel établissant l'état civil de l'enfant. Des messieurs très importants se tenaient dans un salon proche de la chambre d'Astrid, des ministres, des personnages de la cour et, bien sûr, le bourgmestre de Bruxelles, une assemblée de qualité qui vit enfin arriver un ravissant berceau garni de dentelles et de rubans, poussé par une nurse souriante.

— Voici notre bijou !

La princesse Ingeborg présentait ainsi sa petite-fille. De toute évidence très ému, Léopold ne s'éloignait guère du bébé. Comme il était heureux et fier de sa femme adorée ! Il ne songeait qu'à retourner auprès d'Astrid, à tenir sa main et à caresser sa joue, à parler avec elle de leur enfant en chuchotant, à la contempler longuement, si bien qu'il n'écoutait que d'une oreille distraite les discours et compliments qu'on lui adressait. Mais ils n'étaient pas un couple ordinaire et, lors d'un tel événement, les heures d'intimité se faisaient rares. Les visites se succédaient et les repas réunissaient une famille comblée par cette naissance. Marie-Josée fut vite au chevet de sa belle-sœur.

— Alors, elle se nomme Joséphine! Tu avais des raisons de l'appeler ainsi?

La question se voulait anodine, mais la princesse Ingeborg s'empressa d'y répondre d'un ton faussement solennel.

— C'est à cause de Joseph, évidemment!

Elle faisait allusion au valet qui servait depuis quarante ans la famille royale belge et qui se nommait Joseph. La plaisanterie amusa les princesses, mais gêna beaucoup le domestique concerné; il ne savait pas ce qu'il devait en penser. Quant à la sœur du Roi-Soldat, elle écrivit aussitôt à la jeune maman pour la remercier d'avoir choisi son prénom pour ce premier enfant.

— La vérité est simple, Marie-Josée, on m'a lu la biographie de Joséphine de Beauharnais et, fillette, j'admirais souvent une miniature de cette femme… Je la trouvais si jolie, l'impératrice des Français! Je rêvais de lui ressembler. Une amie de maman avait même dit que j'avais ses yeux!

— Peut-être, qui sait…

Astrid sourit en continuant de bercer délicatement sa fille endormie. Elle ne se lassait pas de la regarder, d'embrasser son nez minuscule et ses mains aussi fines que celles d'une poupée.

— Moi qui aimais tant mes poupées ! J'en avais une collection impressionnante à Fridhem. Mais celle-ci est beaucoup plus belle, une vraie merveille ! Je voudrais la câliner toute la journée !

Et elle avait ajouté cette phrase devenue presque historique :

— Maintenant je me sens vraiment belge !

Léopold avait approuvé les joyeuses déclarations de sa bien-aimée. Il effleurait d'un doigt timide la joue de sa fille. Il n'avait pas imaginé qu'elle apporterait une joie aussi grande, un tel bouleversement dans leur vie, et il ne savait comment l'exprimer. Ayant observé attentivement le bébé qui souriait aux anges dans son sommeil, il chuchota soudain :

— J'avais raison, Astrid, elle a déjà ton sourire !

❧

Bientôt, ce fut l'hiver et, malgré le bonheur infini qui embellissait sa vie, Astrid regrettait les neiges de son pays natal, ce froid vif et pur dont le paysage ne souffrait pas, au contraire. En Suède, les lacs se couvraient d'argent pur, alors que les sapins semblaient fêter Noël des mois durant et que le soleil, lorsqu'il apparaissait, faisait scintiller la moindre brindille nappée de givre, illuminant de sa douce lumière les contrées silencieuses de la Scandinavie.

— Quand tu seras plus grande, Joséphine, nous irons à Fridhem et je t'apprendrai à patiner! Nenne te fera des gâteaux et je te montrerai la petite maison au fond du parc.

La princesse promettait tout cela à une nouveau-née aux yeux bleus qui pourtant l'écoutait attentivement. Qu'importent les mots, la voix d'une maman a de si doux accents que ses notes mélodieuses charment toujours les bébés et savent les apaiser lorsqu'ils pleurent.

Mais Joséphine-Charlotte ne pleurait pas souvent; elle devenait au fil des mois un adorable poupon aux cheveux blonds et aux joues rondes. Le roi Albert la trouvait exquise et il ne manquait pas une occasion d'aller l'embrasser. Il en profitait pour discuter un moment avec sa belle-fille, qu'il appelait sa chère petite.

Une amitié sincère et profonde était née entre Astrid et son beau-père. Ils se comprenaient parfaitement et de nombreuses affinités les rapprochaient. L'un n'avait pas été préparé à gouverner, ayant en fait accédé au trône par accident, à la suite de la mort de son cousin, le fils du roi Léopold II, puis à celle de son propre frère aîné, Baudouin. De même, bien que nièce du roi Gustave de Suède, Astrid wn'avait jamais envisagé de régner un jour sur tout un pays et, si elle se pliait de bonne grâce aux exigences de son rang, elle ne pouvait s'empêcher de rêver quelquefois d'une vie plus tranquille, une vie de femme et de mère.

Cette nostalgie que la princesse éprouvait assez fréquemment, le Roi-Soldat la comprenait; aussi conseillait-il à son fils de prendre un peu de repos et d'emmener Astrid à Ciergnon, ou bien de partir en voyage vers ces terres lointaines dont les noms étaient déjà un symbole d'évasion et de découverte.

Il fallait reconnaître que le jeune couple se consacrait à de multiples activités et assumait toutes les charges officielles avec vaillance. Il avait fait le tour des provinces belges et, dans les villes les plus importantes du pays, la foule l'avait acclamé et fêté selon une ancienne coutume, *les Joyeuses Entrées*, à laquelle les princes héritiers de Belgique se prêtaient volontiers.

Astrid avait souri à tous ces gens qui l'accueillaient si chaleureusement, elle avait embrassé les enfants qu'on lui tendait, fait un signe de la main amical et gai à ceux qui la saluaient, et partout elle soulevait l'enthousiasme de la population, grâce à sa gentillesse d'un naturel désarmant. À Namur comme à Mons, au cœur de Bruges ou sur la grande place de Gand, on l'avait applaudie et aimée, parce qu'on devinait en la voyant la pureté et la bonté de son cœur.

À Bruxelles, il y avait aussi les galas, les cérémonies où Léopold et son épouse devaient paraître sans montrer aucun signe de fatigue. Ils devaient présider des réunions ou honorer de leur présence des inaugurations.

— Comme je suis fatiguée ! avouait parfois Astrid lorsqu'elle téléphonait à ses parents.

Elle ne se plaignait pas, mais s'étonnait de céder à une sorte de mélancolie qui l'inquiétait et elle se reprochait sa faiblesse.

— Je dois aider mon mari. Je n'ai pas le droit de m'attendrir sur mon sort !

D'aider Léopold demeurait son plus grand souci et la princesse veillait sur lui amoureusement. Elle classait ses collections d'insectes et de minéraux, fleurissait son bureau et le conseillait quand un problème le préoccupait. «Un ange gardien venu du Nord!» auraient chuchoté certains amis, surpris d'un tel dévouement. «Une providence pour Léopold!» pensaient d'autres personnes, par exemple monsieur Théo Aranson, qui écrivit dans son livre sur la famille des Cobourg:

En public, elle lui facilitait la tâche, souriant où il paraissait grave, parlant où il était timide, charmante lorsqu'il était trop préoccupé. Ils formaient un couple éclatant, lui si beau, elle si radieuse; leur popularité dans le pays et à l'étranger était immense. Ensemble, ils captivaient l'imagination du monde.

Mais Astrid n'agissait ainsi que par amour.

Léopold fut très heureux de lui annoncer une bonne nouvelle: ils allaient bientôt voguer vers les Indes néerlandaises, un long voyage tous les deux. La princesse se jeta au cou de son mari et l'embrassa tendrement. Son rêve de petite fille devenait réalité et, grâce à la compagnie de Léopold, elle en était persuadée, tout serait encore plus beau.

16

— Ceylan, Sumatra, Singapour, Java, Bali, Bornéo!
Que ces mots sont jolis! Et ils évoquent tant de choses
mystérieuses, la jungle toute sombre, des animaux qui
se cachent dans la végétation…

Confortablement installée dans un fauteuil, Astrid
feuilletait un atlas de géographie que Léopold avait
sorti de leurs bagages. Le paquebot glissait doucement
sur les flots et dans la cabine régnait une atmosphère
intime et douillette. Des vagues venaient de temps en
temps caresser les hublots. Le bateau avait quitté la
mer du Nord pour suivre la Manche. Dans quelques
heures, l'*Insulinde* affronterait l'océan Atlantique, ses
lames profondes et ses possibles fureurs.

La princesse s'en moquait. Elle attendait impatiemment le lendemain, pressée de se promener d'un bout
à l'autre du pont.

— J'ai très faim, Léopold! L'aventure me donne des
ailes et un appétit de loup.

— Nous allons bientôt dîner, sois sans crainte. Le baron Capelle se joindra à nous. La jungle de Malaisie nous réserve bien des surprises, il nous en parlera ce soir.

Le baron était pour le prince le plus cultivé et le plus serviable des secrétaires, un ami sûr dont la présence s'avérait indispensable aussi bien pendant la traversée que lors des expéditions terrestres.

— Est-ce que les fleurs de Malaisie sont aussi belles qu'on le dit, Léopold?

— J'en suis sûr, ma chérie, et il paraît que les papillons de ces îles ont des couleurs extraordinaires.

Le repas était savoureux et Astrid y fit honneur en redoublant d'amabilité pour son mari et le baron Capelle. Elle éprouvait un sentiment d'exaltation qui lui donnait un visage de petite fille; ses yeux pétillaient et elle souriait sans cesse avec un air rêveur, comme si elle entrevoyait déjà les trésors de l'archipel malais.

Mais le voyage sur mer s'annonçait très long et il lui faudrait se montrer patiente… Heureusement, le commandant du paquebot avait prévu de nombreuses festivités afin de distraire ses passagers et, par beau temps, le pont de l'*Insulinde* se prêtait à différents jeux.

Des vagues énormes berçaient le navire en route vers le détroit de Gibraltar, dans le vent, le soleil et les embruns salés. Les jours se succédaient et les loisirs s'organisaient dans la bonne humeur. On disputait des parties de palet et, à ce jeu, Astrid se révélait souvent une partenaire redoutable, ce qui amusait beaucoup Léopold, très fier des talents de sa femme. Le jeune couple vivait en quelque sorte une seconde lune de miel et se montrait plus amoureux que jamais.

Une seule chose altérait parfois la joie de la princesse. Elle se réfugiait alors dans sa cabine et essayait de se raisonner. Quelle mère, pourtant, n'aurait pas pensé à son enfant, si loin maintenant? En regardant les photographies du bébé, Astrid soupirait et imaginait sa fille dans les bras de sa nurse ou dans ceux encore plus tendres de sa grand-mère la reine Élisabeth.

— Ma mignonne Joséphine, je te rapporterai tant de cadeaux! Et, quand tu seras en âge de comprendre, je te raconterai notre premier grand voyage.

Léopold devinait sans peine les états d'âme de sa femme et il faisait tout son possible pour la rassurer, car ils ne devaient rentrer en Belgique que six mois plus tard. Lorsqu'ils se retrouveraient de nouveau au château de Stuyvenberg, Joséphine-Charlotte aurait vraiment changé et se serait habituée à d'autres visages, à d'autres voix.

Astrid avait réfléchi à ce problème avant de partir et en avait discuté longuement avec sa famille, qui avait su la rassurer. Son enfant ne souffrirait pas de cette séparation ; elle était si petite et elle serait entourée de tant d'affection ! De toute façon on ne pouvait pas revenir en arrière et la présence aimante de son mari de même que l'attrait des pays inconnus qui l'attendaient apaisaient vite ses angoisses de mère.

Maintenant, ils voguaient sur les eaux bleues de la Méditerranée et l'air avait une douceur nouvelle, tandis que le ciel offrait une limpidité de cristal.

— Nous rejoindrons la mer Rouge par le canal de Suez et, une fois là-bas, nous pourrons apercevoir la Croix du Sud, la plus belle étoile de l'hémisphère austral.

Le baron Capelle savait intéresser ses deux auditeurs ; il leur annonçait fidèlement ce qu'ils pourraient observer les jours suivants. Astrid l'écoutait attentivement.

Un soir, debout à la proue du bateau, elle restait songeuse. Elle contemplait la mer où se reflétait une lune toute ronde, d'une brillance nacrée. La nuit était tiède. Léopold tenait sa main et un peu de musique venait jusqu'à eux, sans doute l'orchestre qui jouait dans la vaste salle à manger de l'*Insulinde*.

— Le bal costumé était une réussite, mais j'ai eu de la difficulté à choisir le gagnant.

Le commandant avait demandé à la princesse de présider le jury chargé de désigner le meilleur déguisement et Astrid s'était prise au jeu ; elle avait étudié les concurrents avec perspicacité. En récompense de ses efforts, elle avait reçu une ravissante poupée habillée en marquise du XVIIe siècle portant perruque à boucles blanches et robe de soie.

— C'est dommage, je suis trop grande pour jouer à la poupée ! Je la garderai pour Joséphine, mais nous l'installerons sur une étagère. Cette demoiselle me semble très fragile.

Léopold la taquina.

— Tu pourrais aussi l'ajouter à ta collection personnelle, qui est toujours à Fridhem !

La princesse se mit à rire gentiment. La plaisanterie était loin de lui déplaire. Son mari savait très bien qu'elle éprouvait encore un charmant penchant pour les poupées et qu'elle se promettait d'y jouer souvent avec sa fille.

❦

Enfin ils abordèrent à Java. Le jeune prince frémissait d'impatience, lui qui trouvait à l'air ambiant de délicieux parfums d'épices. La veille, il avait vérifié son équipement de botaniste et d'entomologiste ; il avait soigneusement préparé ses boîtes et ses filets sous l'œil attendri de sa femme, à qui la forêt vierge ne faisait pas peur et qui avait décidé de l'aider dans ses travaux.

Dès qu'elle aurait visité le jardin botanique de l'île et découvert les merveilleuses fleurs du pays, elle suivrait son mari dans la jungle. Elle voulait voir tout ce qu'il verrait et prendre les mêmes risques que lui. Mais il fallait d'abord s'installer à l'hôtel, s'habituer au climat et prévoir diverses excursions.

— Regarde ces étranges chapeaux en forme de parasol et ces femmes qui portent des corbeilles pleines de fruits. Je voudrais savoir leurs noms, et les goûter aussi !

La princesse ne tarda pas à être exaucée. Elle put déguster des mangues, des ananas, ainsi que d'autres fruits inconnus que les Javanais vendaient sur le marché aux heures fraîches de la matinée.

En vérité, Astrid avait l'impression de rêver, comme fascinée par la beauté de ce qui l'entourait. D'un côté miroitait l'océan, d'où les pêcheurs ramenaient de magnifiques poissons aux couleurs vives. Plus loin des volcans aux flancs brumeux dominaient la forêt, souvent couronnés de vapeurs dorées.

— Léopold, ce jardin est une splendeur ! Je ne savais pas que les palmiers pouvaient devenir aussi grands. Certains sont admirables ! J'aimerais en ramener à Bruxelles et y faire aménager une serre.

Le prince souriait à sa femme et l'embrassait à toute occasion. Ils avaient marché ensemble le long des allées du jardin botanique sous une voûte de palmes savamment entrecroisées ; dans cette ombre verte, Astrid lui avait semblé encore plus jolie et en accord parfait avec ces plantes exotiques au feuillage exubérant. Le décor paradisiaque se trouvait lui-même rehaussé par la présence de cette très belle jeune femme.

— Maintenant, il faut te reposer, Astrid. Demain, nous explorons l'arrière-pays, les plantations de thé et de canne à sucre.

— C'est passionnant ! Et sois tranquille, je ne suis pas fatiguée, au contraire !

En affirmant cela, Astrid était d'une totale franchise et personne dans leur entourage n'aurait pu la contredire, ni le baron Capelle ni l'éminent professeur de l'université de Gand, monsieur Van Straelen, qui était également le directeur du Muséum d'Histoire naturelle et qui les avait accompagnés au cœur de l'archipel malais.

Cet homme érudit fut de toutes les expéditions; il rapporta par écrit ce qu'il avait vu. Assurément, l'incroyable tempérament de sa future souveraine l'avait marqué.

Elle n'a jamais été souffrante. Son équilibre physique correspond à son équilibre moral. Jamais elle ne s'est plainte de la chaleur, des moustiques ou des autres incommodités de la route; de caractère toujours égal et facile, elle a supporté en souriant le chaud, le froid, la soif, les mauvais jours; et, sur la mer, elle a le pied marin. Une vraie créature du Bon Dieu!

❧

Ils traversaient des villages isolés et découvraient des temples construits à la lisière de la forêt. Astrid demandait l'aide d'un interprète pour discuter avec les paysannes qui détaillaient d'un œil mi-surpris, mi-méfiant cette dame vêtue de blanc. Soucieuse de les rassurer, elle leur souriait en adoptant un air très doux. Elle se penchait vers les enfants pour chatouiller une joue cuivrée ou caresser une chevelure noire aux reflets bleus.

Quant à Léopold, il se faisait expliquer les différentes méthodes de culture. Il étudiait de près le système de colonisation néerlandaise et l'agronomie tropicale, dont il tirait de fructueuses leçons qu'il espérait mettre en pratique plus tard, au Congo Belge. Les activités utiles une fois complétées, ils passaient aux visites plus agréables et leur périple continuait.

— Demain, nous allons à Borobudur. C'est un temple célèbre, entouré de terrasses.

Astrid se rafraîchissait en agitant une feuille de papier pliée en éventail. La journée s'achevait, après une marche éprouvante dans la jungle, un domaine magique où les lianes enlaçaient des rhododendrons gigantesques aux fleurs pourpres et où des fougères arborescentes s'élevaient vers le ciel, avides de lumière. Le prince avait capturé des insectes, mais sa femme s'était vivement intéressée aux perroquets, dont le plumage éblouissant l'avait enchantée.

— Et les singes! Je ne les croyais pas si audacieux. Tu as vu, Léopold, certains descendaient sur des branches basses pour mieux nous observer.

Le baron Capelle se permit d'ajouter:

— À Bornéo, nous aurons peut-être la chance d'apercevoir des orangs-outans. C'est un nom indigène qui signifie «homme des bois». Ce sont de grands singes très méfiants qui ont un faciès humain et qui se nourrissent essentiellement de fruits. Ce sont des animaux vraiment étonnants et d'une nature assez paisible.

Mais, à Bornéo, ils virent surtout des crocodiles et des oiseaux échassiers. À Sumatra, ce furent des buffles et des serpents énormes. À Bali, le jeune couple eut le privilège d'assister à une danse sacrée, celle des prêtresses aux ongles dorés qui ont le sourire énigmatique des statues ornant les temples de l'île.

Astrid les avait contemplées en silence, émue par leur grâce et leur beauté. Elle en gardait un souvenir précieux parmi tant d'autres. Maintenant, ils étaient sur le bateau qui devait les ramener en Europe. Les côtes de Java avaient disparu et la princesse chuchotait à l'oreille de son mari :

— Je n'oublierai jamais ce que j'ai vu ces derniers mois !

— Nous repartirons, ma chérie. Je veux retourner au Congo et aux Philippines. De toute façon tu m'accompagneras partout. Je ne pourrais pas me séparer de toi aussi longtemps.

🐝

Le roi Albert et son épouse accueillirent les voyageurs sur le quai de la gare. Léopold était très bronzé, ce qui

166

accentuait sa blondeur et donnait à ses yeux bleus une clarté étonnante, mais Astrid avait toujours un teint de lys et son sourire tendre. Bouleversée par ces retrouvailles, elle n'avait plus qu'une idée, revoir sa petite Joséphine, la serrer dans ses bras et ne plus la quitter.

17

En cette année 1930, le royaume de Belgique s'apprêtait à fêter son centenaire et l'on prévoyait de nombreuses festivités et commémorations. D'un bout à l'autre du pays, de l'Ardenne sauvage aux dunes de Flandre, la population se réjouissait de l'atmosphère de liesse dans laquelle elle baignait. On festoyait, on visitait les expositions, on dégustait du boudin grillé et des frites, heureux d'appartenir à cette nation laborieuse éprise de liberté...

À Gand, les Floralies enchantaient le regard et, à Bruxelles, les feux d'artifice faisaient rêver petits et grands. On oubliait la crise économique, l'instabilité de la situation européenne, les menaces de ruine ou de chômage. L'heure était à la joie. Il fallait s'amuser et applaudir la famille royale, qui avait su donner à la Belgique une aussi prestigieuse parure de fête.

Astrid et Léopold assistèrent à un grand nombre de manifestations; partout, ils furent acclamés avec la même chaleur. La princesse était si belle! Toujours élégante et gracieuse, elle embrassait tous les enfants intimidés que les parents tendaient vers elle. On guettait son apparition. On adorait son sourire et ce geste de la main qui lui était particulier.

— Elle sera une reine aimée de tous! disait-on parmi la foule.

Et très peu de gens parlèrent d'un autre événement de l'année 1930, bien discret il est vrai: en présence du cardinal Van Roey, Astrid s'était convertie au catholicisme après deux ans de réflexion et de préparation. Or, depuis son arrivée à Anvers en 1926, la jeune femme venue de Suède avait fait ses preuves. On la savait sincère et dénuée de toute vanité. C'était un cœur pur de véritable chrétienne et nul ne mit en doute la profondeur de sa foi.

Le mois de janvier 1930 fut le témoin d'un mariage prévu des années auparavant. Marie-Josée de Belgique épousait Umberto, prince héritier d'Italie. À cette occasion, le Roi-Soldat, son épouse et leurs enfants eurent l'honneur d'être reçus au Vatican. La sœur de Léopold voyait enfin se réaliser un rêve dont sa mère lui parlait souvent, lorsqu'elle n'était encore qu'une petite fille.

Umberto, lui, dès son adolescence, avait déclaré qu'il n'épouserait que Marie-Josée. Leur avenir s'annonçait

170

heureux et les parents de la jeune mariée la laissèrent sans inquiétude dans sa nouvelle famille. De plus, ils attendaient avec impatience le mois de septembre, car Astrid leur avait confié un doux secret : un second bébé devait naître à la fin de l'été, peut-être un beau garçon qui les comblerait tous de bonheur.

❦

Des mois s'étaient écoulés. C'était l'anniversaire de Joséphine-Charlotte, qui venait d'avoir trois ans. Elle portait ce jour-là une robe magnifique qui lui donnait des allures de poupée. Ses cheveux d'un blond très clair encadraient son adorable visage, où brillaient des yeux bleus d'une gaîté innocente.

C'était le 11 octobre 1930. On baptisait son petit frère à l'église Saint-Jacques sur Coudenberg et il y aurait ensuite un grand repas, les baisers de sa grand-mère Ingeborg et, comme refuge en cas de fatigue, les genoux du Prince bleu, son grand-père au sourire protecteur. La petite-fille les voyait rarement, mais elle leur témoignait une affection spontanée, car sa maman lui parlait d'eux tous les soirs avant de lire une histoire ou de chanter une berceuse.

Le bébé se nommait Baudouin. Il était né le 7 septembre 1930 et cent un coups de canon avaient salué sa venue au monde. Ce petit prince honorait de sa présence les fêtes du centenaire et le peuple belge était honoré de sa venue. On joua la Brabançonne dans toutes les provinces et dans chaque quartier de Bruxelles, tandis que le drapeau national claquait joyeusement au-dessus des toits du Palais, aux fenêtres des maisons et aux façades des grands monuments de la ville.

※

Baudouin! Un prénom glorieux que ses parents avaient choisi en souvenir du frère aîné d'Albert 1er, sans oublier de célèbres prédécesseurs, deux comtes de Flandre, six comtes du Hainaut, cinq rois de la belle Jérusalem et tant de chefs croisés au front orgueilleux. Quel héritage pour ce robuste poupon de huit livres, sagement endormi dans ses dentelles!

C'était si joli! Astrid était merveilleuse, le bébé, ravissant, toute la bande scandinave, charmante, le public, enthousiaste; Mimine[10], comme un paon, portait l'enfant à l'église. Papa, le parrain, prit son filleul dans ses bras avec une précaution virile. Après, grand déjeuner, une centaine de personnes à qui Astrid montra avec fierté sa descendance.

Voilà ce qu'écrivit la reine Élisabeth à sa fille Marie-Josée, en lui racontant avec sa verve habituelle

---

10. Madame du roi de Blicquy, dame d'honneur.

le baptême de son petit-fils. Et, cet automne-là, beaucoup de gens prirent la plume pour adresser leurs vœux à Astrid. La princesse lisait attentivement toutes ces lettres et elle en ressentait chaque fois une douce émotion. Elle imaginait la fillette ou la femme qui lui parlait si gentiment, en utilisant les mots simples qu'on utilise entre amis, et non pas ceux qu'on porte à l'attention d'un haut personnage.

— Je suis très heureuse, Léopold. Ces gens me considèrent comme une femme ordinaire, une mère avant tout. Cela me réconforte !

Léopold se penchait lui aussi sur certaines missives et souriait, attendri.

———————

Madame,

Mademoiselle de l'école nous a dit que vous avez acheté un beau petit garçon. Je voudrais aller jouer avec lui. J'espère que le roi Albert est aussi très heureux d'être encore grand-papa.

Mes félicitations,

Violette Maton.

Monsieur le Duc de Brabant, Madame la Duchesse,

Dimanche, quand j'ai appris la nouvelle, je dansais de joie. La petite princesse Joséphine-Charlotte doit être bien heureuse d'avoir un petit frère qui pourra plus tard jouer avec elle. Quand il sera grand et qu'il sera roi, il faudrait qu'il soit bon et sage comme son grand-père Albert 1ᵉʳ.

Je finis ma lettre en vous envoyant de gros baisers,

Renée Rombaut.

❀

Astrid se demandait parfois si elle avait vraiment mérité tant de bonheur... Sa vie lui paraissait d'une telle harmonie! Léopold était un homme d'une intelligence remarquable et d'une grande bonté, et ils s'aimaient éperdument. Elle avait maintenant deux enfants superbes et le château de Stuyvenberg abritait cette petite famille très unie, peu soucieuse du protocole.

Peut-être fut-ce ce sentiment de plénitude qui lui fit dire alors:

— Si la vie pouvait rester comme elle est!

Que craignait-elle donc, cette jeune femme forte et dévouée? Quelle étrange prémonition l'avait un instant troublée?

Pourtant, quelques années encore, la vie voulut bien répondre à son souhait; les fleurs du jardin s'épanouirent chaque été au soleil; Joséphine-Charlotte jouait avec son petit frère dans la voiture à pédale que Léopold leur avait offerte, un modèle réduit de Bugatti; Astrid veillait sur tous avec une tendresse infinie.

Souvent, la famille passait une semaine à Villers sur Lesse, où elle possédait un petit château que la princesse avait fait aménager selon ses goûts. C'était une demeure campagnarde où l'on trouvait des tapis solides, de hautes cheminées et des rideaux de cretonne aux teintes champêtres.

Là-bas, ce couple épris de nature et d'air pur faisait de longues promenades dans la forêt ou s'installait pour la journée au bord de la rivière. Astrid avait préparé un repas froid et, avant le déjeuner, elle suivait les conseils de monsieur Alfred Sougné, un pêcheur de truites renommé qui lui enseignait les secrets de la pêche à la mouche. L'eau claire, les arbres ombrageant la berge, le regard amoureux de Léopold assis dans l'herbe, tout cela créait un paradis où Astrid aurait volontiers habité toute l'année.

Une autre maison les accueillait au cœur de l'été, non loin de la mer du Nord, au Zoute. C'était un modeste refuge qu'ils avaient fait construire à l'abri des dunes et, quand ils y séjournaient, rien ne les distinguait d'une paisible famille de bourgeois. Astrid y emmenait ses enfants à la plage et s'amusait avec eux dans le sable. Léopold juchait Joséphine sur ses épaules et entrait dans les vagues en riant.

Des mouettes volaient lentement dans le ciel et, en les regardant, la princesse songeait à la fillette qui voulait jadis suivre les mouettes de la Baltique ou leur parler, de la même manière que Nils Holgersson parlait à tous les oiseaux de la création. Cette enfant de Suède était devenue une jeune femme épanouie. C'était la même Astrid, pourtant, heureuse d'un rien, qui se grisait du parfum de la brise marine, qui contemplait l'horizon où s'enfuyaient des nuages d'un blanc cotonneux.

❧

Ces journées de repos les aidaient à affronter ensuite les multiples obligations de leur existence bruxelloise. Après avoir reçu un tendre baiser d'Astrid, Léopold quittait le château de Stuyvenberg tous les matins pour se rendre au palais royal. Le soir les enfants guettaient le bruit du klaxon et couraient prévenir leur maman.

— Papa arrive !

176

C'étaient des cris de joie, des baisers maladroits et, plus tard, lorsque Joséphine et Baudouin étaient couchés, un dîner sans façon qui réunissait un mari et une femme savourant leur doux isolement. Certains soirs, des invités s'attardaient chez eux pour disputer une partie de billard; on buvait de la bière, servie par une princesse souriante qui espérait en silence la victoire de Léopold, son héros bien-aimé.

Seule une passion commune pouvait leur faire abandonner ce foyer où régnaient un ordre raffiné et une atmosphère idyllique: de nouveaux voyages s'imposaient. Le couple princier s'embarqua bientôt à Gênes en direction de l'Asie, après avoir confié les enfants à la reine Élisabeth.

Cette fois, ils prirent le temps de faire escale en Égypte, où le roi Fouad 1er les reçut avec plaisir et où ils purent admirer les pyramides et leur éternel gardien, le Sphinx. Puis ce fut le Cambodge, le Laos et le Siam, l'Indochine et les Philippines. Astrid allait d'émerveillement en émerveillement. Les fêtes données en leur honneur, les couleurs, les danses, tout cela la subjuguait autant que la beauté du décor aux riches ornements.

— Il faudrait visiter le monde entier, ne pas mourir sans connaître tous les trésors cachés de l'autre côté des mers!

— Tu as raison, Astrid. Je ressens la même chose. Je voudrais voyager le plus souvent possible.

Léopold ne se contentait pas de rêver. De retour à Bruxelles, ils eurent juste le temps de se reposer, tout en classant les photographies de leurs expéditions ou les variétés de papillons capturés dans la jungle.

— Nous repartons au Congo. Je veux constater sur place les progrès dont parlent les ingénieurs.

Le roi Albert ne pouvait qu'approuver la décision de son fils. Il le comprenait. Il n'avait pas oublié ses terribles déclarations de l'année 1925, alors que le jeune prince était revenu bouleversé de cette colonie où dominaient la malnutrition et une désolante mortalité infantile.

Ils montèrent à bord du *Léopoldville* à Anvers, dans le port qui avait été le théâtre d'un baiser célèbre ; Astrid serra très fort la main de son mari en souvenir de ce jour déjà lointain.

Ils atteignirent l'Afrique tropicale le 18 janvier 1933 et, après plusieurs cérémonies officielles, le couple princier entra en contact avec le peuple congolais, délaissant les habitants belges pour visiter les villages et les installations agricoles ou industrielles. Mais, cette fois, Astrid s'intéressa à peine à la luxuriante végétation tropicale.

— Que peut-on faire, Léopold ? Il faudrait les aider.

— Je sais, ma chérie, c'est effrayant, et nous sommes en partie responsables de cette situation. Bien sûr, nous avons supprimé l'esclavage et les guerres entre tribus, mais nous avons bousculé leurs habitudes ancestrales. Nous avons de plus sapé les fondements de la famille en intervenant dans leurs coutumes et leurs mœurs.

Léopold semblait préoccupé et triste, comme Astrid qui avait vu en quelques jours trop de misère. Tous ces enfants malades, maigres et fiévreux, ces femmes au regard désespéré, c'était un constat affligeant. De crèches en dispensaires, d'école en école, elle découvrait le même tableau désolant et son cœur se serrait lorsqu'elle songeait à ces bébés condamnés à mourir, que personne hélas ! ne pouvait sauver. En soupirant, elle répétait à son mari :

— Il faut trouver des solutions, prévenir la mortalité infantile, envoyer des médicaments !

❦

La princesse retrouva Joséphine-Charlotte et le petit Baudouin avec une joie encore plus vive. Ils étaient beaux et affectueux, le printemps belge faisait une timide apparition et, cet été-là, ils partaient tous en Suède, à Fridhem. Ce nom avait des vertus magiques ; en le prononçant, Astrid oubliait ses préoccupations et fermait les yeux pour mieux revoir la façade claire, le grand tilleul et les rosiers du parc. Fridhem, la Suède, son cher pays…

Pour se venir, peut-être veut-elle se de chose à grand-chose.... Leur gare à vous.... Il lui venait aussi.....

18

Comme elle aimait la douce intimité de ce chalet niché au cœur de la Suisse ! Astrid passait là des vacances agréables. Les montagnes enneigées d'Adelboden étaient pour elle un décor amical ; les grands sapins, les vallées toutes blanches et l'air froid lui rappelaient immanquablement son enfance suédoise.

Ils venaient souvent là. Ils appréciaient les sports d'hiver, les grandes randonnées en skis de fond ou les parties de luge qui amusaient tant Joséphine-Charlotte. Mais, cette année-là, Léopold dévalait seul les pistes les plus rapides, sa femme préférant marcher dans la neige aux belles heures de la journée ou rêver devant le feu de bois qui égayait le salon.

C'est qu'elle attendait un troisième enfant et, malgré la joie qu'elle éprouvait, cette nouvelle maternité l'épuisait. Un soir, Léopold la sentit préoccupée et, en l'attirant contre son épaule, il l'interrogea gentiment.

— Qu'est-ce qui ne va pas ? Tu devrais m'en parler.

Le prince s'inquiétait. Ce n'était pas la première fois que sa tendre Astrid cédait ainsi à la mélancolie.

— Je ne sais pas, Léopold. Parfois, ce paysage me désole et la nuit m'effraie. Ce n'est rien, un peu de fatigue, sans doute.

La sonnerie du téléphone les réveilla à cinq heures du matin. C'était tellement inhabituel qu'un terrible pressentiment étreignit aussitôt la jeune femme et son mari.

— Astrid, il est arrivé un malheur !

Léopold venait d'apprendre la mort de son père et un chagrin violent le terrassait. Il pouvait à peine en parler et il se contenta de serrer Astrid contre lui très fort, pour pleurer avec elle. Il n'en aurait guère le temps ensuite ; un peuple effaré par cette perte brutale avait besoin de sa présence, de son courage. Vite il fallait partir, rejoindre Bruxelles et consoler la reine Élisabeth qui devait dire adieu à un époux qu'elle avait adoré.

— Léopold, que s'est-il passé vraiment ? C'est un accident ?

Les époux avaient pris un train rapide qui les ramenait en Belgique. Ils se regardaient avec désespoir en se tenant par la main, un geste de réconfort qui leur

donnait l'air de deux enfants malheureux, d'orphe-
lins. Le mot convenait, car Astrid avait aimé Albert 1er
comme un second père. Elle avait admiré en lui le
héros autant que l'être humain si simple et généreux.
Quant à Léopold, il avait perdu celui qui représentait à ses yeux le parfait modèle d'intelligence et de
bravoure, de loyauté et de charité, le Roi-Chevalier, le
Roi-Soldat, le vainqueur de l'Yser, l'ami et le grand-
père affectueux, un homme que chacun regrettait et
dont on déplorait la brutale disparition.

— Mon père a voulu faire un peu d'alpinisme pour se
détendre. Hier soir, il aurait dû assister à des épreuves
cyclistes au Palais des sports. Il s'est fait déposer près
de Bonnine ; c'est dans la province de Namur. Il
voulait escalader le rocher de Marche-Les-Dames.
Il pensait être de retour au bout d'une heure, mais le
temps passait et monsieur Van Dijck[11] ne le voyait pas
revenir. Il s'est affolé et a téléphoné à Laeken. Il faisait
presque nuit…

La voix de Léopold faiblissait. Il n'ajouta rien. Ils
apprendraient bientôt les poignantes circonstances de
l'accident et ils écouteraient le cœur brisé le témoi-
gnage de ceux qui avaient découvert le corps du roi.

---

11. Valet du roi Albert.

Ils étaient plusieurs à s'être précipités à Marche-Les-Dames en souhaitant ardemment sauver leur souverain, le retrouver blessé ou évanoui, mais surtout le ramener vivant à Bruxelles. Il y avait le capitaine Jacques de Dixmude et le baron Carton de Wiart, aidés par le comte Xavier de Grunne et le docteur Nolf. Ils furent tous confrontés à plus de trois heures d'angoisse et de recherches.

Tant d'efforts nous semblaient comme inutiles, racontait en ces termes dénués de fioritures le comte Xavier de Grunne. *Appelé par le baron Carton de Wiart, le capitaine Jacques, en proie au même sentiment de découragement, descendait la pente feuillère derrière la Roche du Bon Dieu, que j'avais suivie après l'exploration de la cheminée Louise. Mais, au lieu de rester à une quinzaine de mètres des rochers, il tenait le milieu même de la pente.*

Sa lampe était presque épuisée. À une quarantaine de mètres au-dessus de la route, il s'accrocha dans une corde et vit qu'elle était attachée à un corps. Il jeta un cri. Nous nous sommes élancés à son appel et nos lampes nous ont montré, renversé sur le dos, les mains à demi-tendues vers l'avant comme pour saisir encore un appui, le corps de celui qui avait été le chef de notre pays pendant le dernier quart de siècle.

Le roi Albert n'avait pas survécu à cette chute. Il s'était mortellement frappé à la tête. Les obsèques furent célébrées le 22 février 1934. Auparavant, le peuple belge tint à rendre un dernier hommage à ce roi bien-aimé qu'il avait acclamé avec chaleur dès son avènement, le 23 décembre 1909. Les ouvriers et leurs femmes en larmes défilèrent interminablement devant la dépouille royale, de même que des milliers d'autres personnes aux traits marqués par le chagrin. Albert 1er avait tant de qualités! On les évoquait en chuchotant. Il avait commandé lui-même son armée en veillant au sort de ses soldats; il avait approuvé le suffrage universel et développé l'économie du pays.

Un singulier attelage le conduisit à Sainte-Gudule, des chevaux noirs tirant un affût de canon où reposait le cercueil du Roi-Chevalier. Beaucoup de personnalités suivaient le cortège conduit par Léopold, des hommes d'État, des princes, les chevaliers de Malte et les proches parents. Marie-Josée marchait près d'Umberto, alors qu'Astrid ne quittait pas sa belle-mère, qu'elle essayait de réconforter par de petits gestes discrets et des regards vibrants de compassion.

La nef de l'église accueillit cette foule silencieuse. Lorsque les premières notes de la Brabançonne retentirent sous les voûtes, la reine Élisabeth tressaillit. Elle retenait difficilement des sanglots de détresse.

Mais un nouveau roi se tenait immobile à quelques pas du majestueux catafalque drapé des couleurs de la nation, noir, jaune et rouge. Grave et très pâle, Léopold III priait de toute son âme, demandant à Dieu la force de surmonter cette épreuve.

— Je me donne tout entier à la Belgique !

Ce furent là les derniers mots du discours de Léopold III au parlement, le jour de son couronnement. Auparavant, il avait prêté serment en déclarant en français, puis en flamand :

— Je jure d'observer la Constitution et les lois du peuple belge, de maintenir l'indépendance nationale et l'intégrité du territoire.

Toute vêtue de noir, le visage impassible, Astrid regardait son mari et l'écoutait parler avec émotion. À vingt-huit ans, elle était reine, et ce changement soudain l'effrayait un peu.

Pour se rassurer, elle se tourna vers sa fille Joséphine, sagement assise à ses côtés. C'était une si jolie enfant, dans sa robe blanche, avec ses cheveux blonds qui accrochaient le moindre éclat de lumière ! Le petit Baudouin, lui, était à sa droite et, en vérité, il s'impatientait, trouvant sans doute la cérémonie bien longue. Il ne pouvait pas en comprendre l'importance et il

186

s'amusait des tenues chamarrées de certains personnages en s'agitant sur sa chaise malgré les doux
reproches de sa maman.

— Baudouin, sois sage, papa ne sera pas content !

Léopold portait l'uniforme kaki qui avait fait la gloire
du Roi-Soldat et il saluait ceux qui l'applaudissaient.

— Je me donne tout entier à la Belgique ! avait-il
déclaré, et ce cri du cœur avait suffi pour déclencher
l'enthousiasme général et un joyeux élan de confiance.

Cette promesse solennelle, il ne la trahirait jamais et
le sort de son pays le préoccuperait longtemps. Déjà en
ce mois de février 1934, il avait de sérieux problèmes
à résoudre, car Albert 1er laissait derrière lui une situation inquiétante, des krachs financiers, des rivalités
politiques et souvent la misère, le désarroi des classes
ouvrières.

— Je dois vaincre ces difficultés, il le faut ! confiait
Léopold à Astrid. Je veux protéger la Belgique, lui
éviter les souffrances d'une guerre, en faire un royaume
moderne.

— Je serai là pour t'aider, Léopold. Nous sommes
jeunes, mais le peuple nous aime. Je te crois tout à fait

capable de succéder à ton père. Tu es travailleur et si méticuleux ! Je te connais, tu veux toujours atteindre la perfection.

Ils discutaient à voix basse, dans le décor familier qu'ils aimaient, le salon du château de Stuyvenberg. Dehors, un vent froid agitait les arbres ; il pleuvait sur le parc, mais Astrid et Léopold s'en moquaient ; un feu leur offrait sa clarté et sa chaleur ; à le contempler, on oubliait les ombres tristes de cette nuit d'hiver.

— Nous étions si heureux, ici ! Le palais de Laeken me semble trop grand pour nous.

Une reine doit se plier à certains impératifs. Le fait de quitter sa chère demeure, aménagée avec tant de goût, en était un pour Astrid. Pour diverses raisons, ils devaient s'installer à Laeken, délaisser le doux foyer dont ils avaient tant apprécié l'intimité. Il leur fallait accepter ce changement et continuer à sourire.

Comme si elle devinait instinctivement le chagrin de sa mère, Joséphine se montrait d'une affection touchante. Elle la câlinait souvent et l'égayait de ses innocents bavardages. Toutes les deux, elles avaient mis dans une boîte de petits jouets de bois aux vives couleurs qui représentaient des animaux, des coqs ou des chevaux, des moutons ou des oies. Ils venaient de Suède. Là-bas on en voyait dans chaque ferme du Värmland, et Astrid les avait placés sur une étagère, comme éléments de décoration.

— Nous les emportons à Laeken, maman. Mes poupées aussi !

— Bien sûr ! Et, ce soir, nous allons continuer notre ouvrage.

Astrid avait décidé d'apprendre le tricot à Joséphine et cela étonnait quelques dames de la Cour, peut-être les mêmes qui avaient paru scandalisées en voyant la duchesse de Brabant pousser le landau de ses enfants.

— Quel que soit son rang, une femme doit toujours rester la mère et celle qui dirige le ménage ! avait dit un jour la future reine au bourgmestre de Liège, un propos qui révélait bien sa véritable personnalité.

Lorsqu'elle téléphonait le soir à ses parents, la reine de Belgique redevenait la fille cadette qui demandait des nouvelles de ses sœurs et de son frère ou qui évoquait les prochaines vacances à Fridhem en riant. Ce qui comptait le plus dans sa vie avait peu de lien avec son rang. Elle aimait sa famille, adorait son mari et s'occupait de ses enfants avec une tendresse constante, une vigilance extrême.

Léopold l'admirait sincèrement, il savait à quel point elle était fatiguée, ce qu'elle refusait de laisser paraître. Les domestiques avaient droit à son sourire charmant, les invités du roi également. À l'égard de tous, elle se montrait aimable et gaie, d'une discrétion exemplaire, au point de prendre rarement la parole, même lors des manifestations publiques. Si certains lui en faisaient la remarque, elle leur disait d'une voix douce :

— La reine écoute son peuple ; c'est le roi qui parle.

La réponse était simple, mais sans réplique. Pourtant, le regard de la reine en atténuait le sens ; trop de bonté inquiète illuminait alors ses magnifiques yeux clairs.

19

— C'est un garçon, un superbe garçon! Il pèse sept livres!

Astrid ferma les yeux et esquissa un sourire de fierté. Un garçon, un petit frère pour Joséphine et Baudouin, quel bonheur! À cette idée, une joie sereine l'envahissait. Tout était bien. Elle pouvait s'endormir, se reposer. Léopold venait de l'embrasser, après avoir admiré ce robuste bébé né le 6 juin 1934, à vingt-trois heures quinze, par une nuit douce aux senteurs d'été.

— Léopold, ton père serait content d'avoir un aussi beau petit-fils!

— Oui, je sais, ma chérie. Et il porte son nom, tu n'as pas oublié? Albert de Liège, le prince de la Cité Ardente[12].

Mais la reine ne répondit pas. Elle respirait profondément, un peu pâle, et le roi veilla un moment sur son sommeil en songeant à leur vie commune, aux années de bonheur qui les unissaient, aux souvenirs

---

12. Surnom donné à la ville de Liège.

précieux qu'ils évoquaient souvent ensemble, au cours des repas pris en tête à tête ou dans le calme des forêts ardennaises, lorsqu'ils se promenaient main dans la main.

Dès le lendemain, la naissance du prince Albert fut annoncée au peuple belge et la nouvelle provoqua encore une fois l'enthousiasme délirant de la foule.

Le baptême eut lieu à l'église Saint-Jacques de Coudenberg. La cérémonie se déroula selon les exigences du protocole, dans un déploiement de fastes éblouissant. Les carrosses d'apparat offraient au soleil leurs dorures centenaires et la reine Astrid, dans une robe de mousseline mauve, faisait à la population ravie de gracieux signes de sympathie.

Mais pourquoi tant d'honneurs pour un si petit personnage? Contrairement à son frère et à sa sœur, venus au monde à une époque où leurs parents portaient seulement le titre de duc et duchesse de Brabant, Albert était né fils du roi de Belgique Léopold III.

La nature semblait se faire complice; il faisait un temps magnifique, c'était une de ces journées où le ciel bleu est d'une clarté limpide, où l'air tiède est grisant et où il s'y mêle des parfums de fruits à celui plus champêtre de l'herbe juste fauchée. Des enfants jetaient vers le cortège des poignées de fleurs que le vent emportait un instant avant de les laisser retomber en tourbillons sur le sol. Cette pluie de pétales aux couleurs tendres enchantait le regard de tous.

Les Liégeois se pressaient devant le parvis de l'église. Ils étaient venus nombreux fêter ce très jeune prince qui portait le nom de leur cité et lui apporter des cadeaux de baptême. Astrid et Léopold les reçurent à sa place avec émotion. Ils admirèrent la beauté du gobelet taillé dans un cristal très pur, celui que l'on fabrique au Val Saint-Lambert, près de Liège, et aussi *Tchantchès*, le personnage le plus connu du théâtre populaire de marionnettes, un bonhomme au long nez rouge et à l'air narquois. Des maraîchers offraient également un gigantesque panier de fraises et, si ce don ne semblait pas intéresser Albert de Liège, Joséphine-Charlotte et Baudouin jetèrent vers les fruits des coups d'œil significatifs.

Ce nouveau-né au teint rosé et aux traits délicats devait rapidement se changer en un adorable poupon qui ferait l'orgueil de sa mère. Bientôt il fit preuve d'un caractère jovial, toujours prêt à sourire aux photographes, qui cherchaient sans cesse une occasion de fixer sur papier la famille royale…

❦

La vie au palais de Laeken poursuivit son cours. Astrid veillait à la qualité des repas que lui proposait le maître d'hôtel et composait toujours de charmants bouquets qui ornaient le bureau de son mari ou les salons de réception.

Une des plus grandes préoccupations du jeune couple demeurait l'éducation des enfants. D'un commun accord, ils avaient décidé que les leçons particulières seraient défavorables pour Joséphine et Baudouin et qu'ils devaient connaître l'atmosphère et les particularités d'une vraie classe.

Astrid se chargea de créer une école au palais, l'*École de la Reine*. Le soir, lorsqu'elle téléphonait à la princesse Ingeborg, elle racontait sur un ton sérieux les détails de cette nouvelle organisation.

— J'ai choisi l'institutrice avec soin. Je la crois très qualifiée. Une voiture du palais va chercher les autres élèves et les cours commencent. Le matin, histoire, géographie, calcul et grammaire. L'après-midi est consacré à l'étude du néerlandais. Joséphine est une bonne élève. Elle a fait de grands progrès, en un mois…

Le Prince bleu et son épouse se réjouissaient de ces bonnes nouvelles. Ils guettaient avec impatience les lettres de leur fille. Tant de kilomètres la séparaient d'eux et des liens si forts les unissaient!

— Toutes les lettres d'Astrid, adressées à son vieux foyer, respiraient le bonheur, raconterait son père plus tard, après qu'aurait frappé le destin. C'étaient de petites lettres charmantes que nous recevions d'elle, des lettres douces, amusantes, où elle plaisantait. Elle continua toujours à employer les noms familiers de ses années d'enfance, jusqu'à son dernier jour, jusqu'à ce que la plume pour jamais tombât de sa main.

Ces paroles d'une émouvante pudeur évoquaient la délicatesse et l'affection constante d'Astrid. La petite princesse de Fridhem n'avait pas trahi le prénom qu'on lui avait choisi, elle était vraiment prête à donner son cœur et chaque Belge allait bientôt pouvoir le constater.

En effet, dès la fin de l'été 1934, elle se consacra vaillamment à ses devoirs de souveraine et assista à toutes les cérémonies ou manifestations qui exigeaient sa présence. En septembre, on la vit, souriante et toute vêtue de bleu, aux côtés d'une centenaire hospitalisée chez les petites sœurs des Pauvres. Un autre jour elle visita une exposition de poupées à Anvers et en garda un excellent souvenir, fidèle à sa passion de fillette… Partout on admirait ses toilettes sobres et son allure majestueuse, mais, ce qui séduisait le plus, c'étaient encore sa gentillesse et sa modestie.

Cependant, l'année 1935 s'annonçait difficile. Une crise économique bouleversait tout le pays et le jeune roi devait affronter une situation de plus en plus périlleuse. La Belgique comptait trois cent mille chômeurs ; beaucoup de gens cédaient à la panique et retiraient leur argent des banques. Le 14 mars, cent quatre-vingts millions, le 15 du même mois, trois cent cinquante-quatre millions, le samedi 16 mars, deux cent quatre-vingts millions en deux heures.

De l'autre côté des frontières, un certain Hitler se rengorgeait. Ses succès électoraux le ravissaient. Il avait obtenu 90 % des voix lors d'un plébiscite et l'on disait que Mussolini voulait envahir l'Abyssinie. Ce n'était rien de réconfortant quand on subissait déjà les conséquences d'une industrie défaillante et que les enfants étaient les premiers à en souffrir.

Le peuple avait froid, l'hiver se montrant rigoureux, et il avait peur aussi de la misère sans cesse grandissante qui accablait les foyers les plus humbles. Dans les corons, chez les mineurs de Charleroi, par exemple, le spectre de la faim rôdait et une délégation s'était présentée au Palais Royal, qui avait demandé à être reçue par Léopold III. Ces hommes parlaient d'une voix humble, mais ils étaient désespérés et, en décrivant les épreuves qui jalonnaient leur vie quotidienne, ils baissaient la tête, comme las de combattre.

— Léopold, ces petits bébés qui ont faim, ces femmes privées du nécessaire, il faut les aider ! Je vais leur rendre visite et les réconforter.

Astrid les avait vus et écoutés, ces travailleurs dignes et résignés ; leurs déclarations avaient touché chez elle une corde trop sensible, son sens de la justice et son besoin de secourir les plus démunis.

Révoltée par tant de misère et bien décidée à y trouver une solution, la reine s'empressa d'écrire à monsieur Henri Jaspard, ministre d'État et président du Comité national de Secours qui venait de se former. La lettre fut publiée dans les journaux et cet appel à l'aide provoqua un vaste mouvement de solidarité.

Monsieur le Président, je vous remercie de bien vouloir contribuer par votre dévouement et votre expérience au succès de l'aide que je souhaite voir apporter aux enfants, aux adultes et aux vieillards qui souffrent le plus cruellement de la crise et qui sont dans la misère.

De nombreuses initiatives, je le sais, se manifestent déjà à ce sujet dans toutes les classes de la société, mais l'heure est venue de faire davantage.

Ceux qui sont moins atteints par les privations comprendront la détresse des malheureux en voyant les leurs souffrir du froid, de la faim et souvent de maladies causées par une alimentation insuffisante.

Les temps sont durs pour tous. Toutefois j'ai le ferme espoir que ceux qui en ont le moyen consentiront à faire un sacrifice. Ils soulageront ainsi bien des infortunes.

Que les uns donnent de l'argent, si peu que ce soit! Que les autres donnent des objets!

Pour ma part, je recevrai avec reconnaissance au Palais de Bellevue tout ce que la générosité et le cœur de nos compatriotes leur suggéreront d'offrir pour atténuer les souffrances devant lesquelles personne ne peut rester insensible.

Pour encourager les bonnes volontés, Astrid versa aussitôt cinquante mille francs au Comité de Secours et elle tint à s'occuper elle-même des dons et colis qui arrivaient tous les jours au palais. Aidée par la baronne de Woelmont et d'autres dames heureuses de travailler à une tâche aussi charitable, la reine triait les vêtements et les vivres, préparait l'expédition des paquets et veillait à une utilisation intelligente des secours reçus. On empilait les couvertures et on stockait au mieux les kilos de farine.

Des objets parfois étonnants attendaient dans le hall du pavillon Bellevue, des vélos ou des machines à coudre, des meubles et un monticule de chaussures à réparer.

Le soir, un peu lasse, Astrid se reposait en berçant le petit Albert, pendant que Joséphine lisait à haute voix avec application un des contes d'Andersen, à la grande joie de Baudouin. Souvent, la fillette choisissait l'histoire de la Reine des Neiges et la bonté de Gerda la faisait sourire rêveusement; elle aurait voulu lui ressembler.

Plus tard, lorsque ses enfants dormaient, la reine discutait avec son mari. Ils échangeaient leurs opinions sur les problèmes de l'État ou sur l'évolution de la crise. Astrid avait tenu à se rendre en personne dans les provinces de la West-Flandre et du Borinage, à Courtrai et à Commines, le «pays noir», comme l'appelaient les belges, où régnait une pauvreté désolante.

— Léopold, tu ne peux pas imaginer la joie de ces familles quand elles me recevaient et ces petites maisons si propres! Il y a tant d'enfants! Souvent plus de huit par foyer. Je réconfortais les mamans comme je pouvais en leur promettant que tout allait s'arranger.

Le roi lui prenait la main et y déposait un baiser respectueux. Il s'émerveillait de sa bonté et de sa volonté inébranlable d'aider les plus démunis. Dès qu'il s'agissait de soulager les misérables et les enfants, cette belle jeune femme semblait infatigable et il avait une confiance infinie en son pouvoir. Là où passait Astrid, souriante et attentive, les rancœurs disparaissaient et l'espérance renaissait. Léopold avait même pris l'habitude de déclarer :

— Ma femme viendra vous voir et vous aider.

Et la reine s'engageait dans les rues étroites. Elle saluait d'un geste fraternel les tisserands au chômage et frappait aussi aux portes des plus pauvres baraquements. Partout, un cri joyeux l'accueillait et le mois d'avril, encore grisâtre, prenait des airs de printemps.

— Vive la reine ! *Leve de koningin !*

Astrid répondait à tous en langue flamande. Elle déformait bien certaines expressions et leur prêtait son accent suédois, mais on en riait gentiment et on l'acclamait chaleureusement. Là aussi, dans ces petites villes de Flandre, on se mit à l'aimer, même à la vénérer.

C'était si rare de voir une reine s'aventurer dans ces contrées tristes où la résignation remplaçait depuis longtemps les velléités de révolte ! Son dévouement marqua les cœurs et de vieilles personnes impotentes se firent conduire jusqu'à leur fenêtre pour guetter le passage de la « dame de bonté », leur reine Astrid…

❦

Le 27 avril 1935, Léopold III et son épouse présidèrent ensemble l'ouverture de l'Exposition internationale de Bruxelles. Les deux souverains furent applaudis avec un enthousiasme sans précédent ; on leur fit un véritable triomphe. Le deuil de la Cour avait été levé en cette circonstance extraordinaire et la vision de ce couple charmant, d'une jeunesse éclatante, redonnait au peuple la foi et le courage, des sentiments que la crise avait mis à rude épreuve.

Le Prince bleu était venu honorer de sa présence l'inauguration du Pavillon de Suède et Astrid avait eu le bonheur d'embrasser ce père adoré qu'elle voyait trop rarement. Elle portait ce jour-là une robe blanche sur laquelle étaient dessinées des fleurs noires et une ceinture rouge marquait sa taille.

Quand toutes les personnalités furent assises, un chant s'éleva ; des fillettes suédoises entonnaient un lied du Värmland ; ces voix claires évoquaient en des mots tout simples la beauté des pays du Nord, éveillant dans le cœur de la reine toute une panoplie d'images chéries, inoubliables.

Vieux Nord frais et montagneux,
Monde de silence, de joie et d'une beauté incomparable,
Je te salue, ô le plus merveilleux pays du monde,
Je salue ton soleil, ton ciel, tes vertes prairies…

Une émotion singulière étreignit Astrid. Elle revoyait les allées ombragées de Fridhem, les eaux vertes des lacs, la grande forêt enneigée… Cédant à un chagrin d'une force mystérieuse, elle se mit à pleurer comme une enfant inconsolable. Mais une reine doit savoir se dominer et, très vite, la jeune femme retrouva son sourire. Elle applaudit chaleureusement les petites chanteuses.

Seul son cœur gardait la trace de sa violente émotion. En son for intérieur, Astrid se promettait d'aller passer quelques jours en Suède le plus tôt possible, au mois de mai, par exemple, à l'occasion du mariage de la princesse Ingrid et du prince héritier du Danemark, qui aurait lieu à Stockholm. Ingrid était une de ses cousines, sa grande amie également, et, en songeant à ce prochain voyage, la souveraine se sentit réconfortée.

20

— Marthe, Margaretha! Que je suis heureuse d'être ici! Et nous avons quinze jours devant nous, à Fridhem!

Les trois sœurs en riaient de plaisir. Elles étaient si contentes de passer ensemble ces petites vacances près de leurs parents! Joséphine-Charlotte jouait devant la porte-fenêtre du salon; on la voyait gambader sur la pelouse, au milieu des rosiers en pleine floraison. Baudouin avait suivi son père le temps d'une promenade dans le parc et la princesse Ingeborg s'occupait tendrement d'Albert, le benjamin.

Jamais Astrid n'avait connu une telle sensation d'harmonie. Sa famille était rassemblée autour d'elle et tous ceux qu'elle chérissait se trouvaient à l'abri dans la maison de la paix, à Fridhem. En arrivant à Stockholm, elle avait oublié ses inquiétudes et les angoisses étranges qui l'attristaient souvent. De fouler le sol du pays natal demeurait assurément la meilleure des thérapeutiques.

Léopold aussi appréciait ces jours de fête: le mariage d'Ingrid et de Frederick, célébré dans la ville-sur-l'eau, lui avait rappelé ses premiers séjours en Suède, ses visites discrètes chez le Prince bleu où il contemplait amoureusement une jeune fille au teint de lys et aux grands yeux clairs.

Maintenant elle était sa femme, sa compagne, et il l'aimait toujours avec la même passion, à laquelle s'ajoutaient les précieux souvenirs accumulés depuis le début de leur vie de couple, les épreuves comme les joies.

※

Le jour du départ, la princesse Ingeborg embrassa sa fille plusieurs fois en lui promettant de venir à Bruxelles, peut-être pour l'anniversaire de Joséphine-Charlotte. Astrid regardait attentivement les arbres du parc, le vieux tilleul et les sapins aux reflets bleutés. Son père la serrait contre lui en souriant. Il avait promis à Baudoin une partie de pêche à l'écrevisse l'été suivant et il confiait ce grave projet à la jeune femme.

Un oiseau traversa le ciel d'un bleu pâle. Un parfum de roses s'attardait, auquel se mêlait une bonne odeur de sous-bois.

— Comme il fait bon, ici! Chaque fois que j'y reviens, j'ai l'impression de redevenir toute petite, comme un tomte ou comme Alice quand elle mange le champignon magique!

Joséphine éclata de rire en prenant la main de sa maman, qui savait toujours dire des choses amusantes quand on était un peu triste. La fillette aussi se plaisait à Fridhem. Astrid lui avait montré la maisonnette au fond du jardin et elles avaient joué à la dînette. Mais il fallait bien rentrer en Belgique, là où les attendait impatiemment leur grand-mère Élisabeth, qui avait tant besoin de l'amour de ses petits-enfants, ce que Joséphine comprenait facilement, car Astrid lui avait expliqué que son grand-père Albert ne reviendrait jamais, qu'il était parti au pays des anges et de l'Enfant Jésus.

La reine soupira en songeant à tous les rendez-vous officiels des mois à venir. Dès leur retour de Suède, ils avaient fait leur Joyeuse Entrée à Liège, la Cité ardente, la ville-qui-chante où coule la Meuse, le fleuve du pays Wallon. En leur honneur, les rues et les places étaient décorées de guirlandes de fleurs, des drapeaux ornaient les façades et les clairons sonnaient.

Astrid se souvenait avec émotion des cris de la foule et des mains tendues vers le balcon où ils se tenaient. Léopold et elle. La ferveur joyeuse s'était changée en une véritable frénésie quand elle avait présenté aux Liégeois leur petit prince Albert. C'était un bel enfant vêtu de dentelles blanches, dont les boucles blondes qui étincelaient au soleil encadraient les bonnes joues roses, en quelque sorte une vision lumineuse propre à enflammer les cœurs. La reine avait été comblée par une telle ovation.

❧

— Avant d'être une reine, je suis une maman comme les autres, Léopold. C'est mon plus joli titre et je le répète à tous les journalistes. Ils ne comprennent pas, sans doute !

Le roi eut un sourire rêveur, mais ne répondit rien. La veille, Astrid lui avait avoué qu'elle attendait certainement un quatrième enfant, une nouvelle qui les enchantait tous les deux, mais qu'ils ne désiraient pas encore ébruiter.

— Nous aurons peut-être une autre fille ! Je crois que Joséphine voudrait une petite sœur. Mais ce n'est pas si important, nous prendrons celui ou celle que Dieu veut bien nous accorder et nous l'aimerons très fort !

La jeune femme avait dit ces mots d'espoir d'une voix gaie, mais elle avait envie de pleurer, comme cela lui arrivait fréquemment ces derniers jours. Le 30 juillet, comme elle présidait une remise des prix dans un institut agricole, des jeunes filles avaient interprété un chant destiné à honorer le souvenir du roi Albert, ce Roi-Soldat arraché trop tôt à sa famille. Astrid avait senti comme un étau douloureux autour de sa gorge et, pressentant une crise de sanglots, elle avait fait l'impossible pour se contenir… en vain. Des larmes avaient coulé sur ses joues pâles, des larmes qui apaisaient son chagrin sans pourtant chasser la mélancolie insidieuse qui ne la quittait plus.

❦

— Docteur, soyez franc! Est-ce grave? Je ne sais plus ce que je dois faire! Même en public, je ne peux pas m'empêcher de pleurer. Je n'ose pas en parler à mon mari, mais je suis épuisée.

— Ce n'est rien, rien de plus qu'une grande fatigue nerveuse. Il vous faut partir en vacances, avec vos enfants. L'air de la montagne vous sera salutaire.

— Alors, nous irons à Haslihorn, en Suisse.

Léopold approuva sans réserve ce projet. Lui aussi avait besoin de se détendre, car il avait travaillé sans ménager ses forces pour assumer au mieux ses fonctions de roi.

Le mois d'août leur parut bien court. La grande villa était si accueillante! Joséphine explorait les massifs de rosiers à la recherche d'un tomte farceur qu'elle était seule à voir; Baudouin faisait rouler sa belle voiture rouge à pédales le long de l'allée de platanes. Son père le surveillait et l'aidait souvent à prendre un peu de vitesse. Quant à Astrid, elle reprenait des forces en câlinant sans souci des horaires le petit Albert à qui elle essayait d'apprendre à marcher. Dans cet endroit, elle éprouvait une délicieuse sensation de liberté et de quiétude.

❦

— Voilà, ils sont partis.

Léopold attira sa femme contre lui. Le train s'ébranlait en emportant les trois enfants. Astrid pleurait. Elle avait horreur de les quitter ainsi. Chaque séparation lui brisait le cœur et, même en les sachant sous la protection de personnes de confiance, elle redoutait toujours un malheur. Ils rentraient avant leurs parents à Bruxelles, au palais de Laeken. Elle pensait les rejoindre très vite…

Épilogue

La voiture roulait doucement, une puissante automobile de marque américaine, dont la capote était rabattue… Il faisait si beau, ce 29 août 1935 ! Un couple en tenue d'alpinistes avait pris place à l'avant et bavardait ; c'étaient le roi et la reine de Belgique.

Une dernière fois, Astrid regarda son mari et lui dédia un sourire confiant. Une dernière fois, Léopold la vit sourire, belle et naturelle, avec son teint laiteux de Scandinave, son regard limpide et ses cheveux au vent. Il vivait un dernier instant de bonheur terrestre avant de se pencher une seconde vers la carte routière, avant de sentir un choc insolite et de tourner vivement le volant pour éviter le pire.

Mais il était trop tard. Le lourd véhicule avait franchi le parapet et heurté un arbre. Maintenant, il dévalait la pente menant au lac et sa course cahotante semblait ne devoir jamais finir.

Le véhicule emboutit un arbre encore. La forte secousse éjecta le roi. Aussitôt, bien qu'étourdi, il tenta de se relever. Son épaule le faisait souffrir, mais il voulait absolument savoir comment allait son épouse.

Elle était allongée sur l'herbe, en haut du talus, comme endormie. Des gens l'entouraient, sûrement des témoins de l'accident. Léopold crut entendre des mots épouvantables et un vertige le saisit. Ce ne pouvait pas être vrai, il faisait un cauchemar, un atroce cauchemar où des voix répétaient d'un ton tragique :

— Elle est morte, la dame est morte !

Pourtant le soleil continuait de briller, des gendarmes accouraient et on le questionnait. Le chauffeur s'approchait, des égratignures au visage. Il ne rêvait pas.

— Mon Dieu ! Alors, c'est vrai, se dit Léopold, c'est vrai, elle est morte ! Ma femme, ma douce Astrid, elle n'est plus ! Oh non !

Et il ferma les yeux, à jamais abandonné, à jamais solitaire.

Elle était partie rejoindre l'amour infini, d'où elle ne manquerait pas de veiller sur les siens.

Remerciements

Son Excellence Gérard JACQUES, Grand Maréchal de la Cour de Bruxelles.

Monsieur Gustaaf JANNSENS, archiviste au Palais Royal.

Madame Martine VERSTRINGE, S.A.B.A.M, Bruxelles.

Monsieur Bernard GOORDEN, Journal *Le Soir*, Bruxelles.

Monsieur Jean-Marie DUVOSQUEL, éditeur, Bruxelles.

Office National du tourisme Suédois à Paris.

Madame VERGNES, ambassade de Belgique à Paris.

Notre ami, Jean-Claude BOTTEREAU, collectionneur.

DE LA MÊME AUTEURE:

Grandes séries

Série Val-Jalbert

L'Enfant des neiges, tome I, Éditions JCL, 2008, 656 p.

Le Rossignol de Val-Jalbert, tome II, Éditions JCL, 2009, 792 p.

Les Soupirs du vent, tome III, Éditions JCL, 2010, 752 p.

Les Marionnettes du destin, tome IV, Éditions JCL, 2011, 728 p.

Les Portes du passé, tome V, Éditions JCL, 2012, 672 p.

L'Ange du Lac, tome VI, Éditions JCL, 2013, 624 p.

Série Moulin du loup

Le Moulin du loup, tome I, Éditions JCL, 2007, 564 p.

Le Chemin des falaises, tome II, Éditions JCL, 2007, 634 p.

Les Tristes Noces, tome III, Éditions JCL, 2008, 646 p.

La Grotte aux fées, tome IV, Éditions JCL, 2009, 650 p.

Les Ravages de la passion, tome V, Éditions JCL, 2010, 638 p.

Les Occupants du domaine, tome VI, Éditions JCL, 2012, 640 p.

Série Angélina

Angélina: Les Mains de la vie, tome I, Éditions JCL, 2011, 656 p.

Angélina: Le Temps des délivrances, tome II, Éditions JCL, 2013, 672 p.

Angélina: Le Souffle de l'aurore, tome III, Éditions JCL, 2014, 576 p.

Série Le Scandale des eaux folles

Le Scandale des eaux folles, tome I, Éditions JCL, 2014, 640 p.

Les Sortilèges du lac, tome II, Éditions JCL, 2015, 536 p.

Série Bories

L'Orpheline du Bois des Loups, tome I, Éditions JCL, 2002, 379 p.

La Demoiselle des Bories, tome II, Éditions JCL, 2005, 606 p.

Série La Galerie des jalousies

La Galerie des jalousies, tome I, Éditions JCL, 2016, 608 p.

La Galerie des jalousies, tome II, Éditions JCL, 2016, 624 p.

La Galerie des jalousies, tome III, Éditions JCL, 2017, 600 p.

Série Abigaël Messagère des Anges

Abigaël, Messagère des Anges, tome I, Éditions JCL, 2017, 608 p.

Abigaël, Messagère des Anges, tome II, Éditions JCL, 2017, 632 p.

Abigaël, Messagère des Anges, tome III, Éditions JCL, 2017, 648 p.

Grands romans

Hors série

L'Amour écorché, Éditions JCL, 2003, 284 p.

Les Enfants du Pas du Loup, Éditions JCL, 2004, 250 p.

Le Chant de l'Océan, Éditions JCL, 2004, 434 p.

Le Refuge aux roses, Éditions JCL, 2005, 200 p.

Le Cachot de Hautefaille, Éditions JCL, 2006, 320 p.

Le Val de l'espoir, Éditions JCL, 2007, 416 p.

Les Fiancés du Rhin, Éditions JCL, 2010, 790 p.

Les Amants du presbytère, Éditions JCL, 2015, 320 p.

Dans la collection **Couche-tard**

Les Enquêtes de Maud Delage, vol. 1, Éditions JCL, 2012, 344 p.

Les Enquêtes de Maud Delage, vol. 2, Éditions JCL, 2012, 376 p.

Les Enquêtes de Maud Delage, vol. 3, Éditions JCL, 2013, 328 p.

Les Enquêtes de Maud Delage, vol. 4, Éditions JCL, 2014, 448 p.

MARIE-BERNADETTE DUPUY

Originaire d'Angoulême, en France, Marie-Bernadette Dupuy est l'auteure de nombreux ouvrages historiques et de romans policiers.

Elle a publié de très beaux romans parmi lesquels *L'Orpheline du bois des Loups*, *Le Chant de l'océan* ainsi que les séries *Val-Jalbert*, *Angélina*, *Le Moulin du loup* et *La Galerie des Jalousies*.

Avec le talent qu'on lui connaît, elle signe également la saga *Abigaël, Messagère des Anges*.

Elle nous offre ici, juste à temps pour Noël, une œuvre de sa jeunesse.